JN011901

性売買のブラックホール

韓国の現場から当事者女性とともに打ち破る

シンパク・ジニョン

監訳◉金富子
翻訳◉大畑正姫・萩原恵美
解説◉小野沢あかね・仁藤夢乃

いきする本だな

相談を受けることがいかに大事か。
私も弱いし、あなたも弱い。だからあなたと出会った。
私たちがすべて解決できるわけではない。
けれども、「ともに悩む」と伝える。

シンパク・ジニョン

「監訳者あとがき」248頁より

日本語版に寄せて

本書が日本の皆さんに読んでいただけるとのこと、さまざまな面からたいへん嬉しく期待がふくらむ。2019年に日本の活動家や研究者の方々とともに巡った日本の性産業の現場［池袋、秋葉原、新宿など］は、韓国の拡大コピー版ともいえるものだった。報道や研究者たちの著作を通じて、日本の性産業や性売買がどんなものかはある程度知っていると思っていたが、現場を直接見た経験は格別だった。頭ではなくこの胸に、韓国の性売買問題が日本と根深く絡みあっているばかりか、今なお影響を与えあっていることを突きつけられた思いだった。

新型コロナウイルス感染症のパンデミックで世界中が苦しんでいるときに、このことがあからさまに露呈した。日本の有名なお笑い芸人がコロナが収束したら経済面で追い込まれた「かわいい人が短期間ですけれども、美人さんがお嬢［風俗嬢］やります」と言い、そのときに楽しむために今は歯を食いしばって頑張れと発言した［2020年4月の岡村隆史発言のこと］。一方、韓国では感染拡大のさなかにも遊興酒店［日本で言う風俗店］を訪れる客が3カ月で600万人以上に達した。日本で「パパ活」と呼ばれる行為を韓国では「条件デート」というが、そうした男性たちの行動パターンはコロナの影響も受けず、女性たちの厳しくなった経済状況につけこんでいる。

韓国の性売買は、隣国日本と絡みあった歴史的な脈絡のもとで形成された。両国はいま政治・経済面で競争・対立関係にありながら、性売買と女性の人権問題では相互依存的で共生関係にある。韓国の男性たちは日本製のAVやアダルトコミックを見て育ち、日本のアダルトものに出てくる「ア〜ン、キモチイイ[日本語発音のままハングル表記]」といった表現は小学校の教室でも流行語になっている。本文で述べたとおり、2002年に現場で性売買女性の支援を始めた頃から、私は繰り返し「日本」に出くわし続けてきた。電話相談では前払金[借金]問題で日本に行かされると言い残して姿を消した女性がいたし、初めて会ったとき10代だった女性が数年後になって今は日本の性風俗店にいるが韓国に帰りたいと訴え帰国支援に取り組んだこともあった。また、済州島(チェジュ)で日本人観光客を相手に営業していた店で働いていた女性に会ったこともある。

近代日本による侵略過程と植民地期に朝鮮に持ち込まれた日本式公娼制度、そして植民地解放後の韓国の経済成長期に日本人男性を主な買春者として行われたキーセン観光の歴史は、韓国と日本の性売買を合わせ鏡のような存在にした。そのため韓国の性売買の現場では、日本を想起させる瞬間にたびたび向き合うことになった。そのうえ両国とも米軍が駐留し、基地周辺に性風俗店があったという経験まで同じだ。植民地解放後、韓国では性売買を禁止しながらも、同時に男性の行くところならどこでも女性によるサービスは性売買と結びつけられたが、それは日本に右ならえした結果だ。その様相は現在まで続いている。そのため韓国の性売買問題は、日本と密接につながっていた植民地期のみならず、その後に続く一貫した歴史的脈絡において日本の性売買問題と重ね合わせて紐解くとき、いっそう明確になるのだ。

本書を執筆しながら、私は3つの側面を伝えたかった。第一に、性売買について、その現場で実際に起きているあり様や現状に基づき、その脈略をふまえて考えてもらいたいということだ。韓国社会の日常に巨大な規模で定着している「性売買」は、多くの人々にまるで「よく知られた常識」であるかのような固定観念や偏見を植えつけてしまった。

そうした基本的な認識枠組みは、歴史でもたびたび言及される。植民地の歴史が長ければ長いほど、その支配システムが体系化され、基本的な世界観、認識枠組みとなって固着化するという。世界各地で私たちはそうした光景をよく目の当たりにする。奴隷制の歴史が現在の米国の人種差別、とりわけ黒人層にいかなる影響を与えているのか、日本の朝鮮支配40年間［保護国期・植民地期の1905～45年のこと］が韓国社会の世界観、価値体系にいかなる影響を及ぼしているのかを見れば理解できよう。

性売買は植民地期から現在まで続けられている。近代とともにもたらされた「性売買」が韓国社会に及ぼした害悪について、とくに韓国人の認識がその枠組みに捉われていることに、その内部に暮らしてきた私たちは気づきにくい。性売買に対する既存の認識枠組みが「常識のブラックホール」［本書の原題］を作り出しているのだ。そこに亀裂をもたらしうるのは、「現場の声」なのだと思う。本書がまさにその声になることを願っている。

第二に、私が尊敬し尊重もしてきた人たちが「性売買」については、お偉い第三者となって審判しようとする姿を見るにつけ、悲しく、もどかしかった。現場の活動はあってもないかのように一般社会に知られていないためか、女性「活動家」なる者が自分たちの理念や政治的正しさのために性売買女性をダシにしているのだと考える人々が思いのほか多かった。反性売買の活動家がさまざまな声を独占して「性道徳」を教条的に喧伝していると考える、そういう人々のことだ。ある面、そう映らざるをえない点も存在するが、「反性売買」を主張する人々にもきわめて多様なスペクトラムがある。それをひとつの陣営のようにとらえて単純化し、非難する人々に声をかけたかった。

本書に記された、性売買を「暴力」としか解釈できない現場でのできごとや、そのために私たちが選択せざるをえなかった実践の方向に、「同意」とまではいかなくとも、せめて「理解」ぐらいはしてほしかった。そして、それを「知った」地点から対話が始まるならば、大昔から繰り返されてきた批判のための批判は乗り越えられるのではないだろうか。

最後に、「セックスワーク」という虚構の主張に振り回されてほしくないことだ。少なくとも、「女性」たちのためだという名分で、セックスワーク論に基づく運動が性的主体としての女性の権利を獲得する女性運動になり得るといった、無責任な言説の影響力を削ぎたかったのだ。

人間の実存的な存在は限界や欠点にまみれているので、私たちは同じ現象のある部分を偏見の網ですくいあげることになる。だからこそ、それらすべての論議を寄せ集め、部分的な真実から全体に迫ろうと努力するプロセスが重要だと考える。性売買から離脱できない女性たちに対して、「どうすることもできないなら楽しみなさい」という無責任なばかりか暴力的でさえある言説を「フェミニズム」の名のもとに主張する人々に、どうか実際の現場から答えを見つけてほしいと言いたかった。

現在、生まれたときからデジタル機器に囲まれて育ったデジタル・ネイティブ世代の時代へとテクノロジーによる急激な変化が進んでいる。その技術が取り入れられる文化や産業の優先順位においても、また絶対的領域を占めているのも、「性搾取」的な文化や産業なのだ。韓国の女性運動は、女性をはじめとしてあらゆる人間に対する性的取引／人身売買および性搾取的な文化全体を問題視してきた。だが現実においては、もっとも目につく場所にある従来型の「性売買集結地」ですら、「性売買防止法」施行（２００４年）後に縮小してはいるものの、まだまだ存続している。

この文を書いているあいだにも、相反するふたつの知らせに触れた。英国ＢＢＣや多くのＳＮＳが伝えたところによると、２０２１年10月17日、スペインの首相が１９９５年から取ってきた個人間の性売買は処罰せずという合法化政策から、性売買は「女性を奴隷化している」としてジェンダー平等モデル、つまりスウェーデンなど買春者を処罰する北欧モデルへと転換することを宣言したそうだ。一方、英国レスター大学は、２０２０年12月にオンラインで「セックスワーカーの学生をサポートするツールキット」を導入したという［ただし撤回を求める署名運動が起こった］。

この対照的な両者の目的はいずれも、当然ながら性売買の状況に置かれた女性／人間を守ることだ。目的のみについてなら、どちらも正しいと見るべきだろう。だがそれが現実に及ぼす影響や効果は明らかに違っており、私たちが注目すべきはまさにその点だ。私は、経験と研究とを通して、性売買を許容する政策が性売買関連産業に有利にはたらくばかりか、日ごろから脆弱な女性たちの立場や人生をいっそう窮地に追い込み、韓国だけでなく世界各地でも、性売買許容政策のもとで性売買のなかに置かれた女性たちの状況がさらに劣悪になっていることを目にしてきた。

ましてや性売買関連産業の規模と現実の持つ支配的権力が過度に肥大化した韓国や日本

の状況のなかで、私たちはどういう方向に向かうべきなのかを直視しなければならない。マクロ的でメタ的な次元で「性売買」とは何かという論議も重要だし続けていくべきだが、今まさに現実に直面している数多くの命たちの生存のために、今この場で何をすべきかについて、歴史的社会的な脈絡をふまえて判断し決定することが重要だ。

韓国で性売買問題を論じるとき、私はしばしば日本の事例に言及しつつ日本とは違う道を歩むよう呼びかけている。韓国人が日本について抱く否定的な感情に訴える論法を使うのだ。だが、実際には性売買問題が根源から絡みあう韓国と日本はリアルタイムで影響を受けあっているため、互いを反面教師にして問題解決のための方向を設定し協力しあう方がはるかによい結果が期待できるはずだ。だからこそ、本書を日本で読んでいただけるようご尽力くださった金富子さん、小野沢あかねさん、翻訳者の萩原恵美さんと大畑正姫さん、そして現場で大勢の女性たちのための支援活動に取り組まれ本書のために寄稿してくださった「一般社団法人Ｃｏｌａｂｏ」代表理事の仁藤夢乃さんに厚くお礼申し上げる。

韓国には、私のような反性売買の女性運動を展開する活動家たちで組織した団体が主要な地域ごとにあり［13団体で構成された性買売問題解決のための全国連帯］、性売買経験当事者の立場から反性売買運動に取り組む団体［性売買経験当事者ネットワーク・ムンチ］も結成され、活発に活動を繰り広げている。運動に限界はつきものだが、韓国では２００４年の「性売買防止法」制定以降、性売買女性を支援するシステムが整い、２０１９年には「ｎ番ルーム事件」と呼ばれるデジタル性搾取事件［第1章★01参照］の深刻さを憂う世論が沸き起こり、性売買問題に共感する雰囲気がつくられた。

他方、日本では今もって、性売買問題はなおざりにされているように見える。そのような日本のなかで、性売買斡旋システムとそれに協力する者たち、そして一部勢力からの攻撃や脅威に屈せずに活動しておられる方々のお骨折りに、到底ことばでは言い尽くせない愛情と尊敬とをこめてご挨拶を伝えたい。

2022年1月

シンパク★・ジニョン

★シンパク　伝統的に夫婦別姓かつ男系主義を取る韓国では、例外を除き子どもは父方の姓を名乗ると民法で定められているが、両性平等主義の立場から1997年の国際女性デーに開催された韓国女性大会で両姓併記が提唱され、男女を問わず実践する人が少しずつ増えている。

もくじ

第2章 韓国の性売買の誕生 60

第3章 市場へと向かった性売買 86

第4章 商品にされた女性たち 124

第5章 世界の性売買 152

第6章 より良き道に立つ 184

おわりに――私たちみなが性売買のなかにいる 211

凡例

1　本書は、シンパク・ジニョン著『性売買、常識のブラックホール』(ポムアラム、2020年)の全訳である。原文の誤植や事実関係は、著者の同意を得て日本語訳で校正した。

2　韓国では「性売買防止法」(2004年施行)を前後して、日本で一般的な売春、買春、買売春などの用語は使われず、性売買、性購買などの用語を使っている(その経緯や理由は本書第2章に詳しい)。本書では、その経緯やニュアンスを尊重し、性売買、性売買女性、性売買集結地〔性産業密集地の意〕などの用語をそのまま使った。ただし、買春(者)を意味する性購買(者)/購買(者)はわかりにくいので買春(者)と翻訳した。

(例)　売春、売買春、買売春➡性売買
　　売春女性➡性売買女性
　　性購買➡買春
　　性購買者/購買者➡買春者

3　性売買に関する用語のうち、用語の下に▼と番号が付された用語は、本書巻末の「用語辞典」(原著収載)を参照のこと。その場合は、日本と韓国ではその内容が必ずしも同じとは限らないので、韓国語のニュアンスを生かして翻訳した。文中に出てくる用語も同様である。ただし、総称では風俗店、風俗業などと翻訳した。
なお、この用語辞典には出てこないが、本文に頻出する「遊興酒店」とは、女性従業者の接待を伴って男性客に飲食が提供される業態であるが、日本のキャバクラなどとは違って、個室で接待と遊興を行う点が異なり、ルームサロン、テンパー、フルサロンなどと呼ばれる。客が望めば「二次」と称して、別な場所などで性売買が行われる。

また、本文に頻出する「抱主」と「斡旋業者」は、両者とも性売買の斡旋をして利益を得る者を指すが、前者が歴史的に使われてきた古い呼称（植民地期に持ち込まれた日本式公娼制にさかのぼる）であり、日本語では「かかえぬし」、韓国語では「ポジュ」と読む。後者は最近の呼称であり、性売買店の店主、管理者、投資家、宣伝する者などを含み、高度に産業化された現在の性売買において、「抱主」に代わって使われている。著者があえて両方とも使っているので、そのままとした。

4

文中の［　］は訳注である。それ以外の長めの訳注は、★01、★02、……とつけ、脚注とした。原注は、Ⓐ、Ⓑ、Ⓒ……とつけ、各章の末尾においた。

参照　記号

訳注	［　］
欄外訳注	○○★01
原注	Ⓑ
用語辞典	▼24

ロシア
中華人民共和国
朝鮮民主主義人民共和国
ソウル
仁川
忠州湖
醴泉郡
大韓民国
浦項
群山
大邱
全州
釜山
日本
下関
済州島
九州

序章

性売買が多すぎる

電話がきた。知らない番号だった。受話器の向こうの女性は「淪落街[★01]」のある店にいると言った。現在は性売買集結地[★02]と呼ぶ場所だ。助けを求めてきたその女性は、「そこから抜け出したい、どうすればいいのか」と尋ねた。私が性売買女性の支援にかかわる活動を始めたばかりの頃だった。

2002年夏。その女性を訪ねてバクバクする心臓を決然たる表情でごまかして、店の立ち並ぶ路地をずんずん進んでいった。真昼の陽射しのもと、ひっそりと静まっていたその路地が、私たちの足音で一瞬にして目覚めた。人っ子ひとりいなかった通りにあっという間に数多くのまなざしが満ちあふれ、私と同行者はつきまとう人々の怒号と罵倒に取り囲まれた。

警察に同行を要請していたが、誰も信じられなかったから、現場に到着するまでは具体的な店

★01 淪落 韓国の国立国語院が発行する「標準国語大辞典」によれば「女性が堕落して体を売る境遇に陥ること」。朴正熙政権下の1961年に日本の「売春防止法」に相当する「淪落行為等防止法」が制定されたが、盧武鉉政権下の2004年に「性売買防止法」の制

名と部屋番号は知らせていなかった。警察官は私たちの後ろを少し離れてついてきながら、顔見知りらしき店の経営者たちから会釈されていた。夜になると華やかに着飾った女性たちが買春者に選んでもらうために待機する店の前のガラス張りの部屋を過ぎ、なかへと入った。数え切れないほどのドアがびっしり並ぶ廊下があった。地下から屋上まで小部屋だらけのその場所で、息をひそめて私たちを待っていた女性と会った。「本番部屋」と呼ばれる小部屋には、レースで飾ったベッドと化粧台が置かれている。ベッドの脚元にころがる大きな黒いバッグには、女性がこっそりまとめた衣装とこまごました小物類が入っている。私は女性を安心させ、忘れ物のないよう気をつけて出ましょうと声をかける。女性とともに店から出ると、外ではすでに騒動が繰り広げられている。

「出てくならそっと出ていけよ、なんてザマだ」

「カネは返してけよ。店が潰れてさぞいい気分だろうよ、〇〇めが」

「こういうアマのせいで、真面目に働いてる子までとばっちり食うんだよ」

無数の罵倒が、私たちを取り巻くどいつの口から吐き出されるのか、いちいち確認しているひまなどない。急いでパトカーに乗り込んで警察署に向かう。罵倒し非難していたのは大半が他の店のナカイ▼26や女性たち相手に商売する者たちだ。警察に行って簡単な調査を受けているあいだ、追いかけてきたヤクルトレディ★03が、支払いが残っている、受け取るまで帰るわけにはいかないと主張する。そういうとき、当の経営者は出てこない。他の者らが経営者の代わりに暴れて女性を脅かす。なりゆきを見守る他の女性たちに、逃げ出すのは容易なことではないと見せしめにしているのだ。

❖

手引き屋▼22の店主の脅しから逃れたいと相談にきて帰っていった女性たちから、日付の変わる頃になって電話がきた。店主らがやってきてドアを開けろと騒いでいるというのだ。警察に緊急通

定・施行に伴って廃止されるまで、客観的であるべき法律名に明らかに女性差別的な単語が用いられていた。これらの法律については、第1章の原注Ⓑ、第2章を参照のこと。

★02 性売買集結地 性売買集結地という言い方は、性売買防止法（2004年）制定に伴い女性団体の提案で使われはじめた。それ以前は私娼街、淪落街、特定地域、赤線区域、紅灯街、集娼村などと呼ばれ、2005年まで政府の会議録でも「集娼村」と書かれた。集娼村とは「娼婦が集まる地域」、性売買集結地とは「性売買業店が集結する地域」という意味なので、問題の焦点が女性から業者に移ったことになる。

報してから女性たちのもとに駆けつけた。ドアの前を取り囲んでいた店主らは、「妹みたいに思ってカネを貸したらトンズラしたから取り返しにきただけだ、話し合いの邪魔をするな」と言った。むしろ警察に届けたいのはこっちだとうそぶき、出動した警察官にはさらに大声で窮状を訴える。警察官は知り合いどうしなら話し合いですませろと言う。どんなことが起きるかわからないから安全を保障してほしいと言うと、警察官は何事も起きなけりゃ手出しできないと答える。私はここから女性たちを連れ出すから、それだけでも守ってほしいと警察官に求めた。移動を妨害するのは明らかに不法だからだ。そこにいたガタイのいい男たちは口汚く罵りながら今にも危害を加えんばかりに取り囲んでいたが、さすがに手を出すことはできなかった。

車に乗り込んでゆっくりと発車した。警察官は帰っていき、私たちの車の後と横には店主たちの高級セダンがぴたりとつけてくる。公立病院内にある性暴力被害者緊急支援センターに行く。そこには女性警察官が24時間常駐している。車から降りると、店主たちも車を停めて後をついてくる。私たちの制止で女性たちに近づくことを阻まれた店主たちは、センターの前までついてきて、ドアの前で聞こえよがしに物騒なことを言い合いながらたむろしている。3、4時間ほどもそうやってうろついていたが、いつしかいなくなっていた。

❖

性売買女性への支援活動を始めてから、幾度も繰り広げられてきたことだ。その後も数多くの場所で性売買を経験した女性たちに出会った。場所は性売買集結地だったり、座布団屋▼14だったり、按摩施術所▼01だったり、チケットタバン(茶房)▼17だったりで、拘置所や刑務所だったこともある。店主と角突き合わせる街角だったり、店主に脅されている女性の親[★04]の前だったり、日本やオーストラリアの某所からかかってきた見知らぬ者からの電話だったこともある。実際に会って女性

★03 ヤクルトレディ 性売買から利益を得る人々には、性売買斡旋業者に属する者以外にも、性売買店の営業を保護するという名目で活動する組織暴力団、性売買営業に必要な各種用品やサービスを販売する業者など多様に存在する。ヤクルトレディは、伝統型性売買集結地で女性にヤクルトに代表される乳製品飲料を定期的に配達する人をさす。性売買集結地では女性たちの大部分が性売買店に居住するため、周辺の店舗や配達業者が必要な物品を供給する。彼らは性売買店主の容認により営業できるため、店主と結託して女性たちが店から抜け出せないよう付けをさせるなどの方法で監視したり、店主たちの立場にたって女性たちを非難するなど、斡旋業者の役割を代行することもある。

写真1◉
大邱地域の性売買実態調査の内容を発表する著者(左端)
〈2002年10月撮影、著者提供〉

たちを取り巻くさまざまなタイプの斡旋業者★05、警察官や検察関係者、買春者、さらに周辺の人物とも無数にかかわるはめになった。脅迫や拉致、暴力や監禁のような事件が、性売買の店ではあたかも当たり前の日常か規律でもあるかのように起きていることを目の当たりにしながら、これまでの韓国がいったいどんなところだったがゆえに、こんな有り様に至ったのかと考えざるをえなかった。

女性たちから聞く信じがたいような証言に基づいて、性売買についての実態調査を実施した。私の暮らす人口250万人の大邱(テグ)広域市に性売買の店は他のどんな業種にも引けを取らないほど多く存在し、推定取引額は地元の稼ぎ頭の産業とも比較にならない規模だった。多すぎるほど多かった。もちろん私の地元だけの問題ではなかった。全国どこであれ、住宅街・商業地区と

★04 親 原文は「母父」。韓国語では両親に限らず親一般を「父母」といい、ひとり親も「ひとり父母」というが、父を前に置くことが当然視される社会のあり方に疑問を呈し、意図的に語順を逆転させたフェミニスト独自の語法である。

★05 斡旋業者 現代的に産業化された性売買において、「抱主」(序章脚注★06)に代わる用語である。産業化社会で性売買は高度にシステム化される。カネや建物のような資本を出す投資家、性売買女性を管理する者(マダムまたはマネージャーなど)、また性売買店を運営する者(店主)、性売買営業をさまざまな媒体(SNS含む)で宣伝する者など、性売買を可能にするシステムを通じて利益を得る人々のことを指す。

を問わず、街角の隅々からサイバー空間まで、どこもかしこも性売買の広告であふれていた。性売買の店のバナーはオンライン・オフラインのいずれも随所に貼られており、韓国に住んでいるなら必ず目に触れてしまう。そのことに気づいてしまうと、性売買を「自分事」と思わずに生きてきたそれまでの自分の人生に違和感を覚えた。

斡旋業者から詐欺や横領で告訴されて逃げ回っていた女性とともに警察に出頭すると、まるで店主の代理人と会っているような感じだった。「ネコババするつもりで逃げたんじゃないのか」、「おまえみたいなののせいで、店は大損なんだぞ」、「真面目に働いて家を買う、そんな子だって多いんだぞ。ホストクラブ通いやら整形やらで借金したんじゃないのか」などと尋ねる警察官に対して、その店主がいかにあくどいのか、女性が買春者からどんな目に遭ったのかを懇願するように訴え、女性たちの被害を語らなければならなかった。警察官の心証を覆せなければ、それまでの慣例どおり女性は逃走の恐れがあるとして身柄を拘束され、裁判を受けることになるからだ。

女性たちの視点から現実と向き合うことになった警察官のなかには、自分がそれまで店主たちの主張を額面通り受け取って性売買女性に偏見を持っていたことを認める者もいた。第一線に立って他の誰よりも店主たちと緊密に連携して現場をチェックしてきたのが警察官だ。少しだけ見方を変えれば、当時の店主たちの横暴や人権侵害の事実をもっともよく知りうる立場だということだ。

幾度かの捜査に同行し、私とほぼ口論ぎりぎりの言い合いをしていたある警察官は、「実は調査係に持ち込まれる詐欺の訴えの80％以上は前払金の事件」だと言った。店主らが性売買を始める女性に渡すカネを「前払金▼31」というが、このカネはほぼ店主と斡旋業者らでやり取りし、その計算方式も斡旋業者の思うがままだった。仕事をする当の女性たちは借用証書を作成し、一緒に働く女性の連帯保証までさせられるが、実際には前払金を手にすることのできない場合が大半だった。店から店へと移動するたびに利子や紹介料など多額の費用が上乗せされ、前払金は数カ月のうちに数千万ウォンから1億ウォンを超えることもあった。だが、店主が性売買女性を訴えればこのすべての経緯は捨象され、女性が巨額のカネを持ち逃げした「ネコババ」常習犯にされてしまう。前払金のせいで20歳にもならない女性たちが前科何犯になっていることもあった。

2002年にはじめて性売買女性たちに出会って支援するなかで直面した世の中は、もはや私の知っていたそれまでの世の中ではなかった。女性たちを借金でがんじがらめにする手口と、そのために借金の奴隷になって性売買を続けざるをえなくなる構造もそうだが、性売買という「仕事」そのものの残酷な現実はさらに受け入れがたかった。ひとりの人間が受けとめるにはあまりにもおぞましい状況が日常的に起きていたのに、なぜ私は、私たちは知らなかったのだろうか。そのことを理解するのはしんどかった。知り合いの男性の多くがそのことを知りながら黙認してきたということ、なかには楽しんで加担した同好の士でさえあったことが信じられなかった。

買春者を調査するとき、警察官は実に遠慮がちに男性の職場や仕事に被害が及ばないよう気を使った。警察官は、性売買女性があくまでも「NO」と拒絶したために性的暴行に及んだ加害者(買春者)に対し、「それじゃあ、やむにやまれぬはず」と共感を示した。一抹の人類愛さえも見いだせない現場に繰り返し遭遇した。腐敗と不正は目撃した者に怒りを呼び起こし断罪してやるという強烈な意志を抱かせるが、加害者に対するこうした周囲の情緒的同情や支持は無力感を覚えさせる。

そうやって活動を始めて約20年になる。初期に抱いていた恐怖や怒りを解釈し、いくつもの問いへの答えを探す時間だった。この国の人々が生まれながらの買春者であるはずもなかろうし、夫

婦間セックスの回数はいわゆる先進国のうちでも下位を争っているのに、どうして性売買はこうも多いのか。政治の民主化と経済発展の神話を成し遂げたという誇りを有する人々が、なぜ男性の性欲という「本能」についてだけは文明化を諦めてこうも自慢げに屈服するのか。

韓国の現状は明らかに「買春を勧める社会」だ。1980年代や1990年代には中年男性の突然死が多かった。それもそのはず。ビールをウィスキーで割った爆弾酒と買春が仕事と社会人生活と男性連帯のスタンダードな価値観なのだ。そこで踏ん張れない者は死ぬなり追い出されるなりして連帯から脱落した。そして細胞に刻まれたこの生き残り戦略から生じた鬱憤（うっぷん）は、この社会や男性連帯に向かう代わりに性売買女性に向かうのだ。

反性売買運動と性売買女性の現場での支援活動をしながらとりわけ長いこと悩みつづけたことは、人権について相反する価値が衝突する際に、性売買女性に力が与えられ、自分の権利を行使する最善のやり方とは何かということだった。たとえば政治的な正しさが女性個人の生存とぶつかるとき、善悪だけでは事態を判断することはできない。個々の瞬間に何らかの立場をとることはできたが、現実的に完璧な答えなど存在しなかった。そうした時間を通過して現在の私は、性売買は仕事でも職業でもなく、けっして「労働」と呼ぶことはできないという最低限の認識ラインを有するに至った。本書は、その最低限の認識ラインを追い求めつつ出会わざるをえなかった数々の問いへの答えである。

まずは、机上で性売買を研究し、政策を論じる人々に答えたかった。否、現場で数限りなく答えてきたことを知らせたかった。性売買は価値中立的であり、たんに幾人かの関連する人物が悪者なだけだという主張、法律で処罰しなくてもきちんと管理さえしておけば問題なかろうという人々、性売買に関する凄惨なニュースが枚挙にいとまがないほど続いているのに、それを「一部のこと」だという人々、現場を見もしないで現場の問題を矮小化し、あたかも自分たちが性売買女性にもっとも寛大であるかのように装って訓戒をたれる者……。時代錯誤な性道徳にとらわれて男性を敵対視するフェミニズム運動が性売買女性にレッテルを貼っているという「女対女」フレームに帰着させる議論も珍しくない。

第二に、性売買についての非常識な通念に答えたかった。「取り締まれば潜在化してますます深刻化するだけ」、「性売買を禁止すれば性暴力が増える」、「性売買はもっとも古くからある職業」といった主張はあまりにも非論理的なのに、変だと疑われることもないほど繰り返されてきた。そろって無感覚に陥ったかのように、多くの人々がこの通念の前で思考停止になるようだ。こんなにも非常識な言説が知識人の見識ある主張としてたえず繰り返され、今なお強大な力を行使している。古くさいが有力なこのレトリックは現実を無力化し、ただひとつの主張へと集約される。「性売買よ永遠なれ。さらに栄えよ」。私はそれに歯止めをかけたいのだ。

第三に、性売買のことを「セックスワーク」と呼ぶほうが当事者の権利のためになると主張する人々に答えたかった。「反性売買運動はフェミニズム運動の大義のためにセックスワーカーに犠牲を強いる」と考える性売買当事者の女性もいる。一部のフェミニストたちは、性売買の「行為」を「被害」に置き換えて考えることが性売買女性たちを受動的存在にするといって批判する。ひいては「セックスワーク」は快楽を生産するものであって、むしろ性の自由を実践する運動になりうるという主張もある。反性売買運動が女性たちを被害者という狭い枠組みに押し込め、女性たちの生存権を脅かしているというのだ。

２００２年の私は、そういう人たちの主張に耳を傾けていた。目の前の現場が地獄だったから、「性売買防止法」が制定され極端な搾取の問題さえ解決すれば、生産的な議論ができるだろうと考えた。性売買の規模が巨大なだけに、そのなかで日々を生き抜いている多くの当事者がいるのに、どうして簡単に「性売買はいけません」などと言えようか。とりあえずどうすればいいのか考えられないほど巨大で絶望的なカベの前にいる当事者たちが「望んでいるのに」、「自分は何様だというのか」。この現場に足を踏み入れなかったなら、そうした選択を支持し、性売買女性が権利を行使できるようにする方向が正しいと考えたかもしれない。だがこれまでの経験と時間を通じて、私は現在の立場に至ったのだ。

反性売買のフェミニズム運動は、性売買女性をたんなる支援の対象とか証言者としてのみとらえないよう努めている。性売買経験当事者の活動家であり反性売買運動の同志として、性売買の実態を解釈し、より良き方向へと進むためにともに歩んできた。個人ではなく社会構造の問題として、自分と性売買の関係を解釈する当事者運動の主体たる人たちがいる。そういう人たちは「性売買は搾取でしかなく、絶対に労働ではありえない」という。性売買を労働だと言った瞬間、搾取はたんに個人で引き受けるべきことになる。性売買に含まれる搾取的な本質は、悪党のごとき抱主（ポジュ）★06と特に暴力的な何人かの買春者さえ取り除けば消えてなくなるものではない。性売買イコール搾取なのだ。

現実に圧倒されて感情の吹き荒れる時間が長引くほど、より淡々と答えを探そうと努めた。現場の現実を極端な一例として見くびり目を向けようとしない者たちに、性売買の現場はつねに極端にならざるをえないことをどうやって伝えればいいのかわからず、思い悩んだこともあった。被害を叙述することが、その被害を楽しみ見せびらかすマゾヒズムのように罵倒され、実際の被害が誰かにとっては快楽になることを案じて、ある時からは自分の経験した被害の事例さえ言及しないようにした。被害事実の証言が加害の証拠ではなく、ある種の人々の娯楽になるという驚くべき逆説、当事者が自分の身に起こったことにさえ口をつぐまねばならない現実、それは誰のためのものなのか。被害の現場で不都合に目を背け、耳を閉ざす者たちは、つまり何者なのか。

私たちはつねに境界に立っている。刺激的な被害の現実にもっと人々の耳目を引きつけねばという誘惑と、被害の真相をありのまま示して現実に直面させねばという意気込みに対する判断にビビ

★06 抱主 性売買において、女性を拘束しながら買春者に提供することで利益を得る人を指す歴史的に使われてきた古い名称。植民地期に導入された日本式公娼制に由来する。凡例参照。

らないように努めつつ、いよいよ語りだそうと思う。性売買は韓国社会に実在する巨大な常識のブラックホールであり、私たちすべての問題だ。そうした世の中でポジションなきポジションを堅持するとしたら、結局は現状の傍観者になるだけだ。本書が読者それぞれの居場所で現実に持つべき性売買についての認識ラインを定めるうえで役立つことを願っている。

第1章

性売買という常識のブラックホール

性売買のどこが問題なのか

「『性売買特別法』の施行［2004年］により、18歳から30歳までの結婚適齢期の成人男性はなんと12年間も性欲を発散する道が閉ざされた」（2004）
「性欲旺盛な男たちの住む国で、性を買うのは悪いことだから抑制せよといくら教え諭したところで通じるのか」（2010）

「フィリピンで性売買摘発、韓国人男性9人性欲を抑えきれず」（2017）

こうした言い分は悠久の歴史をほこる。男性の性欲は抑えのきかない本能であり、エロ動画が見られないから、性売買を禁止するから、性的暴行をはたらくのだという。国会議員が、裁判官が、論説委員が、教授が、公式の席上で「性欲は抑えないのではなく、抑えられないのだ」と主張する。今なおこうした主張が幅をきかせつづけている理由は何なのだろうか。

「『エロ動画が規制されたから性暴行するしか』、n番ルーム★01被害者を苦しめる暴言」（2020）Ⓐ。最近の記事を見てもその水準は変わらない。「古くから男は性欲、女は物欲という」、「知るかよ、エロ動画を規制したから脅してヤルしかなかった」などなど。記事やコメントに記された文言は実におぞましいものだが、それを今さら「暴言」と呼ぶのもどうかと思えるほど古くから存在してきた、この社会の思考の枠組みだ。そしてこれらの文言が非難されるたびに、「性売買女性の生存権」の話題がさりげなく挿し挟まれるのもまた古くからの習わしだ。性売買は女性にとっても必要で、女性たちも望んでそれを選択しているのだと、あたかも女性のために性売買が存在しなければならないかのように語られる。性売買の論議では、「男性の本能を守れ」と「性売買女性の自由を守れ」はワンセットでついて回る。

貞操を売る以外にいかなる生活手段もなく、能力もなく、手に職もなく、後ろ盾もいない女たちだ。いきなりどこかの会社の事務員になれるわけもなく、雇ってくれる会社があろうはずもない。裁縫を習ったからお針子になるにせよ、料理ができるから女中になるにせよ、なりたいからといって雇ってくれる家があるのか……それこそことごとく監獄にでも放り込み、これらエロの一党を一掃したとしよう。されど、これら女の肉体を一時の

★01 n番ルーム 2020年に摘発されたメッセンジャーアプリTelegram（テレグラム）を介したデジタル性犯罪の総称。SNSの裏アカウントなどから女性を脅迫して性搾取的な写真や動画を入手し、被害女性を「奴隷」と呼びならわして会員制チャットルームで共有していた。1番から8番までのルームの他にも複数のルームが生成され、会員数が数万人に及ぶルームも存在し、被害者数は1000人を超えた。各ルームの運営者らが逮捕起訴され、2021年11月に大邱高裁は「n番ルーム」運営者の〝ガッガッ〟（24歳＝当時）に懲役34年の刑を言い渡した。それを模倣した「博士ルーム」などの運営者にも程度に応じた量刑が言い渡された。

売り物にせよ、買わねば機会にさえありつけぬ独身の労働者貧民は、いかにせよというのか。

（呉基永『公娼』より）

この文章が発表されたのは1946年だ。日本帝国主義の植民地支配から解放された直後、民族こぞって独立の喜びを分かち合っていたときも、性売買女性はのけ者扱いだった。彼女たちは、貧民階層の独身労働者の性欲解消のためになお「公娼」として残されねばならなかった、そしてそれは貞操の他には売るものもない女性たちのためでもあるという論理だ。こうした主張は現在までそっくり引き継がれている。

有名無実の違法化

「淪落行為等防止法」が制定された1961年から2004年の「性売買防止法」Ⓑの新たな制定、さらに現在に至るまで、韓国において性売買は違法と規定されている。だが、はたして違法だと意識している者がいるのだろうかと思えるほど、当時も今も性売買はいたるところに存在する。性売買は「被害者のいない犯罪」であり、「性売買防止法」は「自由意志と道徳の次元で扱うべき性的領域を処罰と教導で扱おうとする遅れた法律」という主張が、今なお政治的立場とは無関係になされる。

「淪落行為等防止法」は、名称からして何をターゲットにしているか明らかだ。そこについて回る派生語は「淪落女」、「淪落街」である。公序良俗を害する行為に対し規律を守らせようとする法律なのだ。「保護する価値のない貞操」Ⓒが云々されていた時代に、「淪落女性」たちの地位がいかなるものだったかも想像はつく。一方、「性売買防止法」は「淪落」という語を「性売買」へと言い換え、性産業のなかでおきる斡旋行為等の「取引」を強調しようとした。「性売買防止法」が制定されてからは、性売買をめぐる公式の用語がかつてに比べてやや中立的で多様なバージョンを有することとなった。

かつての「淪落行為等防止法」では、主に売る側の女性に対して道徳的な烙印を押す性差別的な用語が使われていた。性売買の対象となる女性たちを社会一般に「淪落女」、「娼婦」などと呼んでいたが、1980年代から人身売買等の横行を機に女性の身体への搾取が社会的な問題として浮上し、「取引」に注目した売春、売買春という用語が登場してきた。しかし、この用語には性売買行為または性売買女性を「春」と呼んだ点で多分に問題があった。性売買のなかの女性に対する考え方を変えずして、性売買の本質的な性格をとらえるにふさわしいネーミングはできない。現在は「性売買女性」、「性販売女性」を主に使用しているが、「性販売女性」は「販売」する女性の自律性が強調され、性売買を成り立たせている社会的構造を見えにくくする。本書ではネーミングを政治的行為として重く受け止め、現実的にもっとも論争の余地が少ないと判断される「性売買女性」という呼称を使用する。

2000年代からはフェミニズム運動が性売買に本格的に介入し、「性搾取」「女性の性売買を通して第三者が利益を得ること」として再概念化するようになった。女性たちのあいだでも自分は性売買女性ではないと自己検閲し、そのスティグマをかえって深めてしまう傾向は少なくない。だが、2016年にソウル市で起きた江南（カンナム）駅女性殺人事件★02でミソジニーが話題になってからは、女性たちの遠慮のない発言が本格化した。女性を黙らせる目的で使われる蔑称をそっくり男性に置き換えて使うミラーリング運動の結果、2017年には「**#私は＿娼婦だ**」というハッシュタグまで登場した。とはいえ、シンボリックな蔑称に楯突いて行動しうる者の存在と、実際の性売買女性がそれを受け入れることのあいだには乖離がある。同時に、巨大な性売買市場の論理によって、男性の視線ですべての女性を娼婦化してとらえるフレームもざらにある。

★02 江南駅女性殺人事件 2016年5月17日深夜、ソウルの地下鉄2号線江南駅前のビルのトイレで待ち伏せしていた30代の男が6人の男性を見送り、7人目に入ってきた面識のない女性を刺殺した。男は日ごろから女性からの被害意識が高じていたことが動機だと供述した。事件を機にミソジニーの問題が大きく浮上し、江南駅10番出口には追悼メッセージを書き込んだ付箋が次々と貼られた。また、男の被害意識は統合失調症による被害妄想と判断されたことから、同症を含む精神疾患患者への偏見が拡散するなどの副作用も生んだ。2017年4月に懲役30年の刑が確定した。

女はみんな娼婦?

「デートでおごられて当然と思う女性の態度は、広い意味での売春(ママ)である」
「結婚も性売買みたいなもんだ」

性差別的な社会のなかでリソースの偏りは、何かにつけ女性を男性に従属させる。リソースは金銭的なものだけではない。女性を娼婦というフレームに入れておけるのは、女性はどうせ男性の所有物、という前提があるからだ。誰かの娘、妻、母という女性固有の役割におとなしく従うべき存在のくせに、その役割を拒むような女性は「娼婦」と呼んでこらしめる。韓国社会は実在する巨大な性売買市場の論理によって、日常の男女[★03]関係さえ性売買のイメージでシンボライズされる。「味噌女」や「キムチ女」[★04]は娼婦の別バージョンだ。男たちの働いている時間にブランド品で着飾って高価なコーヒーを飲む女性のイメージは、性売買女性と同一線上にある。そういう女性たちは父親や恋人、または夫が汗水たらして働いて稼いでいる時間に、そのカネを無駄遣いすると非難されて当然の存在という考え方だ。実際の世界で行われていることとは関係なく、すべての女性にはとりあえず娼婦の嫌疑がかけられている。

映画監督キム・ギドクは2018年、テレビ番組で性暴力の被害を受けたと証言した女優を誣告罪［虚構の事実を申告した罪］と名誉毀損罪で訴えて敗訴したにもかかわらず、2019年にふたたび同番組の制作者と女優を相手取って10億ウォンの損害賠償請求訴訟を起こした。キム監督の映画では、主要な女性キャラクターはつねに娼婦だった。2002年に公開された『悪い男』はその頂点にある作品であり、2004年の『サマリア』は現在ならば絶対に公開できない映画だ。

★03 男女 原文は「女男」。ここにも序章脚注★04で指摘した語順を逆転させる語法が用いられている。

★04 「味噌女」「キムチ女」 味噌女、キムチ女ともに金銭的に男性に依存し、その消費行動で虚栄心を満足させる若い女性を侮蔑的に指す語。外形的にはブランド品とスターバックスコーヒーで象徴される。2000年代半ばからネット上で急速に拡散し、実在の人物像というより真偽不明のイメージに近い。語源には諸説あるが、ニューヨーカーの真似をしてもしょせんは韓国人でしかないことを伝統食品の味噌やキムチになぞらえたとの説がある。西洋人との出会いにあこがれて

『悪い男』はさらった女子大生を娼婦に仕立て、その性売買の様子を陰で見守り、彼女を愛しているといって移動式の性売買店を営んで各地を回るチンピラの物語だ。女性主人公を演じた俳優は、映画の撮影の際に「魂が傷ついた」というインタビューを残して映画界から去った。『サマリア』はさらに上をいく。買春者たちをセックスで救おうとする女子高生が登場する。ポスターでは全裸の主人公が修道女を思わせるベールをかぶっている。そういう物語を新鮮で比類なきものとして消費し、賞を与える者たちがいた。[★06]『悪い男』が公開された2002年は、性売買女性が火災の犠牲となり、それまで社会が目を向けず放置してきた性売買の現場が人々の前にショッキングなかたちで出現した年だ[第2章]。「性は本能」などと言っていた国会さえも現実の前に沈黙して、「性売買防止法」をほぼ全会一致で制定した。そうした社会の雰囲気のなかでもキム監督の映画は公開され、国際映画祭に出品された。「おまえに何ができる、女はみんな娼婦さ！」。『悪い男』の忘れられないセリフだ。

だが、なんと陳腐なイメージだろう。ノーベル賞まで受賞したコロンビアの文豪ガルシア＝マルケスの『わが悲しき娼婦たちの思い出』[★07]は、生涯にわたってカネで女性を買い、90歳の誕生日に処女と寝るために斡旋業者に命じて14歳の女性と会おうとする主人公を描く。処女と娼婦、男性のファンタジーの中で数千年間絶えず再生産されてきた処女マリアと娼婦マリアの変奏曲だ。

この二律背反のイメージが今なお韓国を支配している。それに抵抗する女性たちは、性売買をペイレイプ[Pay Rape]、つまり支払いを受けた強かんだと訴える。#Me Too運動とともに脱コルセット[★08]を実践する女性たちは、男性中心的な視線と性的対象化から全力で逃れはじめた。男性はそうした「メガル」[★09]、「フェミ女」をののしるとともに、女はみんな娼婦だ、雌カマキリだという。性的に対象化されないフェミ女、対象化される娼婦、いずれも憎悪の対象だ。その一方で性を買う。性売買は「都市の下水溝」だといい、性売買女性を浄化の道具として都合よく使い、「老いた

韓国人男性には見向きもしない女性、または西洋人とつきあうときは割り勘なのに韓国人男性には支払わせるのが当然と思っている女性というイメージがある。

★05 **損害賠償請求訴訟を起こした** ２０２０年10月にソウル西部地方裁判所はキム・ギドク監督の訴えを棄却、キム監督は11月に控訴するも、12月に滞在中のラトビアで新型コロナウイルス感染症による合併症で死去した。訴訟は遺族によって続けられたが、２０２１年11月、ソウル高裁での判決でも棄却された。

★06 **賞を与える者たちがいた** 同作品によって、第54回ベルリン国際映画祭で銀熊賞（最優秀監督賞）を受賞した。

★07 **『わが悲しき娼婦たちの思い出』** 日本では木村榮一訳（新潮社、２００６年）で出版された。

娼婦の歌」Ⓓから生きるうえでのインスピレーションと慰めを得るという男性は、いったい誰を憎悪し、何を賞賛するのか。みずからの能力で生きていく女性たちを引きずり降ろせなくて躍起になり、女性を買うことができる地位を守るためにあれほどまで必死になりながら、同時に女性に娼婦という烙印を押すことのできる、その立場はいかにして作られたのだろうか。

2017年、忠清(チュンチョン)北道丹陽(タニャン)郡にある忠州(チュンジュ)湖の遊覧船乗り場に李退渓(トエゲ)★10と官妓・杜香(トゥヒャン)の恋物語にちなんだ公園がオープンした。この公園には中年の李退渓が立ち、琴に似た伝統楽器コムンゴを弾く杜香を見下ろす姿のモニュメントがある。身分と年の差を越えた悲恋の物語と紹介されているが、それは史実ではない。朝鮮王朝時代［1392〜1897］にも性売買があったとして妓生(キーセン)が話題に上ることがままあるが、朝鮮王朝時代の妓生は奴婢として宮仕えする身の上だった。奴婢ゆえにその生涯の記録が残っている者はまれだ。実際、生没年の記録さえない数え歳で19歳の妓生・杜香と政治的な難局を避けて9カ月ほど当地に滞在していた数え48歳の李退渓の物語は、後代の作り話だ。そんな2人が切ない恋の主人公に仕立てあげられて、21世紀の韓国に登場したのだ。この公園の造成に丹陽郡は2億ウォンあまりの予算を投じた。身分制社会において絶対的な生殺与奪権を握る支配階級の中年男性と10代の奴婢の女性との交流を美しい恋だと祭りあげ、たいそうな予算を投じてモニュメントにして復元する人々の胸の内が知りたいものだ。どこか繰り返し見たような構図ではないか。

日本から持ち込まれた「援助交際」という語を「青少年グルーミング性売買」★11、「青少年性搾取」と命名しなおして社会的な問題として可視化させる時代に、事実ですらないこうした作り話を恋愛に見せかけて展示する。史実だとしても批判的に解釈されるべき内容をわざわざ復活させるやり方には、現代社会の既得権層の認識が盛り込まれている。現実の性売買が歴史さえも歪曲し、都合よく脚色して展示しているのだ。そうして人々は「物語性の感じられる文化事業」としてこの

★08 脱コルセット 江南駅女性殺人事件（2016年）をきっかけに韓国の若い世代の女性たちを中心に起こったフェミニズム・リブートのなかで、家父長制の影響が強い韓国社会に古くから存在した男性中心の価値観のもとで定型化された女性像から脱却し、本来の自分らしさを取り戻すことを目指す女性運動。化粧、服装、ダイエットなど、自発的な選択と思える行為の背景に、それを求める社会的な同調圧力（コルセットの比喩）はないのかを問う。

★09 メガル 韓国では「メルス」と発音する中東呼吸器症候群MERSの情報交換サイト内で女性差別的な書き込みが急増したことをきっかけに、それに対抗するかたちで2015年に創設されたサイト「メガリア」のユーザー「メガリアン」の略で、過激なフェミニストの蔑称として使われる。「メガリ

モニュメントを消費し、児童・青少年グルーミング性犯罪者たちは性懲りもなく「愛していた」、「つきあっていた」と弁明し、裁判所はその切々たる弁論に軍配を挙げるのだ。

性売買を禁止したから性売買が増えた？

性売買を禁止するから性暴力が増え、性売買を禁止するからn番ルームが生まれ、性売買を禁止するから潜在化して管理や取り締まりが困難になり、性売買を禁止するからいたちごっこ［原文：風船効果］で性売買の店が住宅街にまで広がる……。

これらは驚くほど多くの人々が本気で賛意を示し、今なお通念のごとく繰り返されている主張なので、ここできちんと触れておこうと思う。まず、法律で禁止し取り締まるから潜在化するという主張から見ていこう。そもそも犯罪行為が潜在化するのは当然のことだ。警察さえも口癖のように「潜在化して取り締まりが大変」などと言い、取り締まりを困難にさせる性売買防止法に問題があるかのような口ぶりだ。顕在化させて規律づけるべき犯罪なんていったいどこにあるのか。ならば、清涼里（チョンニャンニ）、弥阿里（ミアリ）、玩月洞（ワヌォルドン）★12のような古くからの性売買集結地は何だというのか。それらは性売買が違法となってからも長いこと堂々と生き長らえていた。警察の望むやりやすい取り締まり対象なるものがそれらを指すのなら、「淪落街」、「集娼村」と呼ばれていた場所がどうしてそんなにも長いこと存在していたのか。性売買の違法化のせいで潜在化し、取り締まりが困難になり、性売買が増えるというすべての主張は根拠がないものだ。もし法律で禁止したのに減らなかったり、かえって増えたりするのなら、それは法律が機能していないからだ。

性売買を法律で禁止したから潜在化したと不平を漏らす人々が本当に言いたいのは、こういうことだ。「性売買は絶対になくせない、だからほっとけ」。「性売買防止法」の制定前、大規模店が建ち並ぶ性売買集結地に客足が絶えることはなく、ビルのオーナーはじめ経営者は莫大なカネを

ア」は「メルス」とノルウェーの作家ガード・ブランテンバーグのSF小説『イガリアの娘たち』に登場する男女の性役割が逆転した仮想の国「イガリア」の合成語で、同サイトでは差別的な発言を男女逆転させて発することで気づきを促す「ミラーリング」という手法が用いられた。

★10 李退渓 1501〜1570。朝鮮朱子学を大成したとされる儒学者。現行の1000ウォン紙幣の肖像画の人物。

★11 青少年グルーミング性売買 手なづける（Grooming）の意。加害者が被害者（主に未成年女性）に巧妙に接近し、信頼や好感を得て支配的な関係をつくった（Grooming）あとに行われる性犯罪のこと。n番ルーム事件もこの事例。日本でも、成人男性による10代女性への性虐待の背後にSNSをつかったグルーミングが指摘されている。

写真2◉
釜山の性売買集結地・玩月洞
〈2018年8月金富子撮影〉

もうけた。現在も残っている性売買集結地もずいぶん縮小したとはいえ、なお取り締まりや閉鎖といった措置に抵抗しつつ、むしろ取り締まる側に向かって脅迫めいた発言をすることもいとわない。警察は集結地の取り締まりが困難でむやみに手が出せないと言い、自治体は店の閉鎖に向けて経営者と交渉する過程で業者に莫大な不動産開発利益を約束することもあった。いったん地域に根を下ろして表向き成功した経営者たちはすでに地元で力を持っており、自分たちの営業権や生存権の保障を盾に取る。

ある討論会の席上で警察関係者が、潜在化のせいで性売買の取り締まりが困難になったと語っ

★12 **清涼里、弥阿里、玩月洞** 清涼里、弥阿里はソウルの、玩月洞は釜山(プサン)の代表的な性売買集結地。写真2参照。清涼里は現存の地名に残るものの、弥阿里は現在は弥阿洞（集結池があったのは隣接する下月谷洞(ハウォルゴットン)）となり、玩月洞は忠武洞(チュンムドン)と改名され現存しない。とはいえ千束と地名を変えても残る吉原のように、その集団記憶はなお残りつづける。

★13 **遊興酒店** 食品衛生法施行令第21条第8号ニ

た。だが、発表された資料を見ると、警察が取り締まってきた対象は性売買集結地や遊興酒店★13の「二次」★14のようなおおっぴらに営業している店ではなく、OP▼05やマッサージルーム、オンライン性売買のように警察の区分上「潜在化した」店だった。どこかを取り締まると別のどこかに出店するように、「集娼村」を閉鎖すれば性売買は別の場所に広がると主張するいたちごっこの論理も同じだ。いたちごっこの論理は、性売買集結地の閉鎖を要求するときもっとも多く耳にする反対の根拠だ。大邱市の性売買集結地であるチャガルマダン［「砂利敷きの庭」の意］で閉鎖作業が進められていたとき、「サイバーチャガルマダン」という用語が登場し、店が周辺地域に拡散するという記事が立て続けに書かれた。論理的に考えれば、いたちごっこのように性売買の店が増え、性売買のバリエーションが生まれることが本当に心配ならば、より断固たる、効果的な取り締まりについて知恵を絞るべきだ。だが、それら記事の主張は、「いたちごっこが懸念されるから性売買集結地はそのまま残すべき」というふうに続く。

　性売買の禁止によって性売買市場が増え、ご近所に性売買の店ができることを心から心配してそう主張する人々がいるならば、「もうご近所にはそういう店があるんですよ」としか言いようがない。学校のグラウンドにも団地の駐車場にも性売買の宣伝チラシが山と積まれ、道沿いには性売買を斡旋するポスターがベタベタ貼られるようになってもうずいぶん経つ。活動家やボランティアが違法な性売買チラシを回収するためにモーテルや歓楽街一帯を見回っていると、立派な黒いセダンが尾行する。せっせとチラシまきをしていた者に脅されたこともあった。現行法上明らかに違法な宣伝チラシをまき、貼りながら、こうした輩は何はばかるところがない。そうした宣伝チラシは組織的にまかれ、管理される。市民からの苦情で自治体が動いてトラック1杯分のチラシを回収しても、すぐ翌日には同じ場所に同じだけ満ちあふれる。私たちが措置を講じるよう要請すると、違法広告物の回収担当公務員は自分たちの手に負えないとぼやく。

によって「主として酒類を調理・販売する営業で、遊興従事者を置き、または遊興施設を設置することができ、客が歌を歌い、または踊りを踊る行為が許容される営業」と規定された業態。つまり、女性従業員が男性客を接客し酒食と遊興を個室で提供する業態で、ルームサロン、テンパー、フルサロンなどと呼ばれる（用語辞典参照）。

★14　二次　男性客が望んだ場合、店での飲食の後で別の場所（モーテルやホテル等）に移動して行う性売買。店内でおこなったり、飲食代とセットの場合もある。なお、性売買を行う前段階のテーブル席での酒食や接待を「一次」という。高級ルームサロンの場合、一次のサービスをする女性と二次のサービスをする女性が違う場合があるが、それは一次の女性が二次を行わないほど最上品であることが宣伝のポイントになる。

オンライン、オフライン、人々の集まるどこであれ、あふれ返る性売買の宣伝チラシだけでも、韓国の多種多様な新種・変種の性売買の業態のバリエーションを推し量ることができる。マッサージのついでに性売買、お茶のついでに性売買、入浴のついでに性売買、オンラインゲームのついでに性売買、散髪のついでに性売買、宿泊施設で性売買――。ひとつの性売買集結地の閉鎖は、性売買の市場規模全体に比べればさほど大きな比重を占めていない。にもかかわらず注目されるのは、玩月洞、弥阿里といった性売買集結地が「伝統的」なタイプだからだ。もっぱら性売買のために作られ維持されているそうした場所さえ閉鎖できない公の規制能力を問題ととらえ、取り締まりを強化すべきだ。

2013年、徴兵中の人気芸能人ふたりが朝鮮戦争の記念行事に出演した後、軍規に違反して「按摩施術所」▼01を訪れていたことが明らかになって、人々の怒りを買ったことがあった。軍ではふたりが治療のために同所を訪れたと発表したが、誰もそうは思わなかった。医療法に基づくマッサージ師の資格は視覚障がい者のみ取得可能であり、按摩施術所はマッサージ師の資格を有する者に限って運営できる。だが、ネットで按摩施術所を検索すると、青少年には不適切な内容が含まれているため検索結果を見るには成人であるとの認証を受けよ、というメッセージが表示される。統合検索のページには性売買の広告や買春のレビューがずらりと並ぶ。2016年にマッサージ店での性的暴行で告訴された芸能人は、性売買をしていたことが裁判で明らかになった。同年、有名なKポップ歌手が遊興酒店の女性に立て続けに性的暴行を行っていた疑いで告訴された。この件でも加害者は、性的暴行ではなく性売買だったたと主張した。

私たちはとっくに知っている。性売買集結地以外に数多くのバラエティに富む性売買の店が日常的に広がっていることを。だが、いたちごっこの論理を主張する者たちは、そういう店が「性売買防止法」によってある日突然降って湧いたように言う。「性売買防止法」制定10年後の2014年、雑誌『新東亜』は「想像を超えたいたちごっこ」として次のような記事を載せた。

あれから10年が経った今、いたちごっこの論理は明白な事実だと立証され、性売買の取り締まりはさらに困難になってしまった。特にさまざまな新種・変種の店が雨後の筍のごとく生まれて類似性売買の店が細分化し、独自に発展していく副作用さえ招いている。集娼村で働く性売買女性は大きく減ったが、その代わり「フリーランスの性売買事業者」たちが夜の街を縦横無尽に行き来する。（……）ＯＰルームは結局、特別法の施行後に業界のビッグヒット「ブランド」へと浮上した。そしてこの時からすでに収拾のつかない、いたちごっこの気配が現れはじめていたⒺ。

知らずに書いたのであれば実態を把握していない無邪気な主張であり、知っていながらこんなことを書いたのならば悪意を感じる。１９８０～１９９０年代、観光ホテルには男性専用サウナなるものがあった。当時、私にはそのことがすごく妙に思えた。入浴は女性のほうが好きだろうに、どうしてホテルにあるのは男性専用の浴場なのか。それがトルコ風呂▼25と呼ばれる性売買の店だったことを知ったのは、トルコ大使館から正式に問題提起があって名称が「蒸気風呂」と変わったときだった。「性売買防止法」制定前には多くの「退廃理髪店」が組織的に運営されており、盆や正月には性売買集結地では部屋が足りずに近隣のモーテルまで借り上げて営業し、宿泊施設に出かけていく派遣型性売買や浴場での性売買は24時間営業だった。日中でも勤務中にちょっと「ひとやすみ」しにくる事務職の男性客でつねにごった返していたというのが、当時を経験した性売買女性たちの証言だ。確かなのは、当時から韓国の性売買は男性の受けるあらゆるサービス業に副次的に提供されるかたちだったということだ。男性の行くところならどこであれ性売買が可能なようにセッティングされていたといっても、過言ではない。

性売買はすでに男性の日常だった。「性売買防止法」以後に「新種・変種の性売買の店が雨後の筍のごとく生まれた」という表現は、特定の意図をもって事実関係に目を背けて展開する強引な論理だ。日陰で勢力を伸ばしていく性売買を真に問題視するならば、『性売買防止法』が施行されて10年たったが、実態を見ると、もともと深く根を張っていた性売買の店を取り締まるには力及ばぬようだから、特段の措置が必要だ」というのが、適切な表現のはずだ。

性売買を禁止したから性犯罪が急増した？

性売買を禁止すると、性暴力が増加するという。この主張の第一の前提は男性の性欲は解消してやらなければ爆発する、というものであり、それに次ぐ前提は男性の性欲は性売買で解消するのが当たり前、というものだ。解消してやらなければ性暴力に向かってしまうという、その男性の性欲がもっとも旺盛な時期は10代後半から20代前半だという。その世代が成長とともに受けてきた性教育の歴史の浅さを考えれば、韓国はいつからこうも性欲の解消に重きを置いてケアしてくれる国になったのかと思う。もしこの論理に従うならば、青少年期の男子学生とはいかに危険な存在だろう。なのに、この国はこの危険な時期の男子学生たちに「成功さえすれば女に困らない」といって勉強に没頭せよと教えなかったか。実は大人になりさえすれば好きなだけ性売買できると、カネさえあればいくらでも女を抱けると教えていたわけだ。そうした暗黙の約束のなか、青少年期の男子学生はまともな性教育の機会もなく、ポルノや日本のAVを含む性搾取動画に無制限に接する。「尻の大きな女がいい」、「女は子どもを産む機械」、「制服がいちばんエロい」などと騒ぐ男性教師はいきなり現れたわけではない。そうした環境で韓国の男子学生は育ったのだ。

性教育をもっとも重要な政治教育ととらえるヨーロッパの国々がある。それらの国は性をタブ一視せず、互いを尊重し分かち合う重要な絆を結ぶものとして教育する。福祉や人権に対する意識が高く、性売買の割合の低い国では性暴力はどうだろう。スウェーデン、ノルウェー、フィンランドといった国で性暴力の通報件数が多いといって、性売買を禁止したからだと詭弁を弄する者がいる。はたしてそうだろうか。性暴力の通報件数と性暴力の発生率を単純に同一視するわけにいかない。韓国で性暴力犯罪関連特別法が制定されたのはやっと1994年、改正前の刑法では強かんは「貞操に関する罪」だった。性暴力や職場内でのセクハラに関する法律が制定されるまで、それらの犯罪はあってもなきがごとき存在だった。性暴力を暴力と認知し通報へと導くのは、社会の認識レベルにあり、関連する政策の内容しだいである。性暴力犯罪からどれほど自由でいられるかの答えは、女性がどんな場所でも安全を感じられるかにあるだろう。

　韓国社会の問題は、そもそも男性の性欲を解消するための基本権のように性売買を提示している点だ。なぜ性欲を性売買で解消するのか。セックスや関係についての欲求は男女どちらにもあり、互いが望むときに望む相手と解消すればいい。大邱の性売買集結地チャガルマダンが「2019年末」閉鎖されたとき、50代後半のある男性が私にこんなことを言った。「最近チャガルマダンは商売上がったりだそうだ。若いやつの同棲は多いし、みんな自由にセックスするから、あえてチャガルマダンに行かないんだと」。放縦な近ごろの若者が気に食わん、チャガルマダンの衰退は残念という口調だった。私は「性売買の問題も解決するし、実にいいこと」と応じたが、「自由なセックス」は放縦だが、男性の性売買は本能であり権利だという、こうしたダブルスタンダードは根深く存在する。「男は性欲を抑えられないから性売買が必要だ」という論理のいちばんの問題は、男性を選択的にケダモノ扱いすることだ。だが実は、性欲を持て余してケダモノになった者の本能だとごまかすには性売買はきわめて計画的な行動であり、ましてカネがなければ実行不可能だ。男性たちは社会的条件を吟味して性売買を選択し、自分の懐具合に従って買春を計画する。カネと階級がものをいう性売買市場の中で、男たちは買春男性間の格付け、挫折、疎外などを経験する。性売買は本能の領域ではなく、文化や経済、つまり構造化されたシステムのなかにある。

韓国男性を潜在的な犯罪者として一般化するのは、他の何ものでもない韓国社会が作り上げ再生産するこうした通念だ。男はケダモノであり性欲は本能だから性売買を禁止したら性犯罪者になってしまうという言説に、真に怒り抵抗すべきは誰なのか。

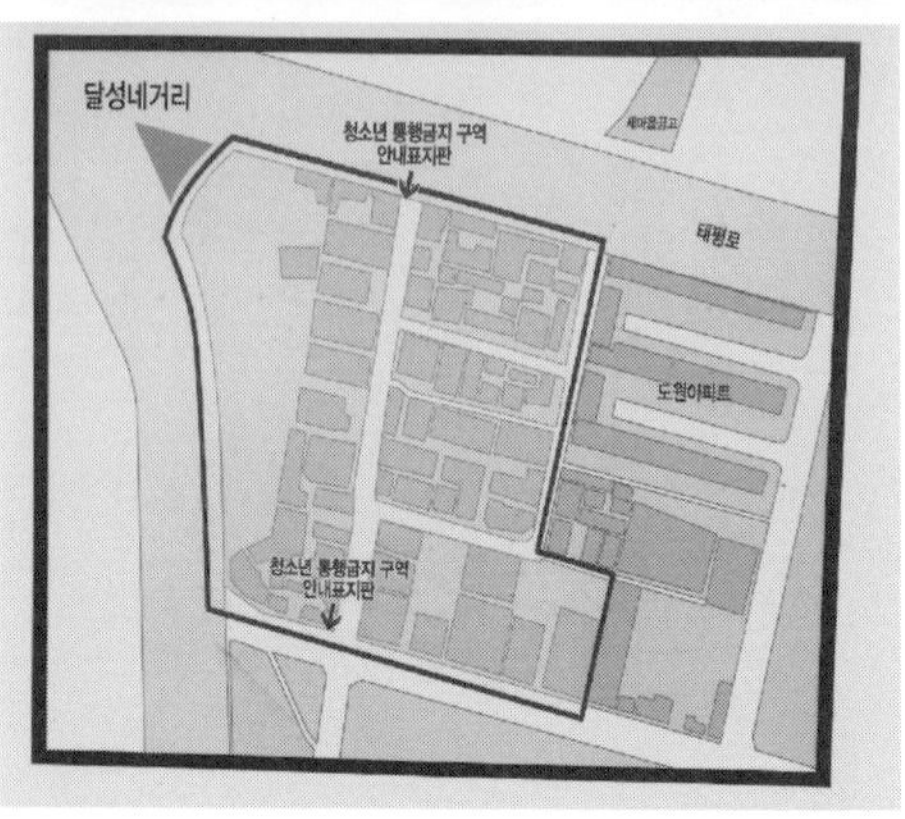

写真3◉
大邱の性売買集結地チャガルマダンの一角にあり、廃屋となった性売買店（上）。女性たちの個室が並んだ痕跡がわかる〈2017年4月金富子撮影〉。集結地入り口のコンビニ前に立つ看板に「青少年通行禁止地域（24時間全日）」と書いてある（中）。この看板の一部を拡大したもの（下）。線で囲まれた地域が「性売買集結地」にあたる。同集結地は、2019年末に全面的に閉鎖された。〈2019年9月 金富子撮影〉

性売買の違法化のせいで10代女性の性売買が増える？

次に、「性売買防止法」のせいで10代女性が対象となる性売買が増えたという主張がある。合法的な性売買を禁止するから、どうせなら10代女性を買うという意味だろうか、それとも性売買を禁止したところ10代女性を買いやすくなったという意味だろうか。現場で支援活動を始めてもっとも驚いたのは、性売買そのものがあまりにも多いせいもあるが、とりわけ10代女性がすごく多いということだった。初期に相談支援の際に出会った女性の大半が10代後半から20代前半で、性売買の現場で出会った女性もまた大半が10代で性売買を始めていた。性売買集結地にも20代半ば過ぎの女性は多くなかった。

韓南（ハンナム）大学警察行政学科客員教授の金康子（キムカンジャ）は、性売買の合法化を支持し、公娼制を主張する。韓国初の女性警察署長として「弥阿里の包青天（ほうせいてん）」★15と呼ばれ、性売買集結地の店主たちを震え上がらせた彼女が、今では集結地の店主たちの味方になっている。「性犯罪を防ぐには制限的な公娼制が必要」と主張する金康子前署長につく修飾語は、今なお「集娼村を取り締まった」、「性売買との戦争を繰り広げた」、だ。だが金康子が変節したのではない。金康子は2000年にソウル市鍾岩（チョンアム）警察署長に就任し、大々的な取り締まりを断行した。だが取り締まったのは「未成年者の性売買」だけだった。当時から金康子は10代女性の性売買は絶対にダメだが、性売買集結地そのものは公娼制で管理すべきとの立場だった。「性売買防止法」の制定についても、現実を考慮に入れぬ理想にすぎない法律だと主張した。性売買集結地の女性たちは生存のためにやむをえず性売買をしているが、それ以外の産業型性売買はぜいたくしたがる女性のするもの、という発言さえためらわなかった。そんな金康子がかつて性売買集結地の取り締まりに乗り出した理由は、10代女性のためだった。当時、弥阿里の店主たちが地下に隠していた10代女性が取り締まりに引っかか

★15 **包青天** 999〜1062。本名は包拯（ほうじょう）。中国北宋の政治家で、聖域なき賄賂の摘発で高官や貴族にも恐れられた。中国でドラマ化された作品が韓国でも放映された。2017年『開封府〜北宋を包む青い天』の邦題で公開された。

ることもあった。

大邱には、「ヤンジ路」という1990年代に名を馳せた座布団屋▼14通りがある。未成年女性ばかり集めた当地の店では低価格ですこぶる「ハード」なサービスを提供するとの噂が流れ、週末には全国から遠征にくる客も多かったという。1990年代半ば以降、10代女性の性売買が問題視されはじめると、法律改正に伴う初の直接選挙ではヤンジ路の性売買店の閉鎖を公約に掲げた候補が区長に選ばれた。特別チームが編成されて取り締まりと閉鎖に向けての作業が進むあいだじゅう、店主たちからの脅迫、威嚇が絶えなかった。性売買女性の人権という概念が弱く、支援システムもなかった時代だけに、無謀な取り締まりが行われた。扉を閉ざした店の前後を固めてからハンマーで南京錠をぶち壊してなだれ込み、中にいる客と女性を現場で取り押さえて警察に引き渡したが、取り締まりの写真には、裸の10代女性と上半身裸の買春男性の姿がしっかり映っている。

当時の状況を説明して警察は、「そうやって連行したところでどこか送る当てもなく、女性たちはみんなまた別の店に舞い戻ったはず」だと言った。当然だ。取り締まりで摘発された女性たちが警察署を出ると、目の前に店主が待っていた。ヤンジ路の店は閉鎖されても、女性たちへの店主の統制権にはまったく支障がなかった。元手のたんまりある店主はすでにヤンジ路以外にも別の店を持っており、閉鎖された店の女性たちは別の店に連れていけばそれまでだ。全国どこにでも似たような店はある。風俗店に出入りする未成年の買春者は取り締まっても、成人の買春者が10代女性と会うことについては実に寛大なのが韓国社会の現状だ。

買春者が店に来て最初にする質問は、「いちばん若いのはどの子だ」だそうだ。そして揃いも揃っていちばん若い女性を選ぶ。過去と現在の10代女性の性売買の実態について、深刻さを競いたくはない。社会の変化につれて10代女性の性売買もまた様相が変わりつつある。性売買を取り締まったから10代女性の性売買が増えたのではない。過去も現在も、法律とは関係なく性売買は悪いことじゃないと考えている者が多く、だからこそ性売買が巨大な規模を誇るこの社会において、10代女性の性売買もあふれ返っているというきわめてシンプルな事実関係を歪曲してはならない。

男性障がい者の権利のために性売買は必要?

『ピンクパレス』(ソ・ドンイル監督、2005)というドキュメンタリー映画がある。「障がい者の性を語る韓国初の長編ドキュメンタリー」という触れ込みからわかるように、この映画は障がい者を無性の存在と考えがちな社会に向け、問題意識を持って「障がい者の性」を語ろうとする試みだ。だが映画のポスターに記されたもうひとつのコピーは次のとおり。「一度生まれて死んだらいつまた生を授かるかわからないのに、童貞のまま死ぬなんて残念無念!」。つまり、映画が再現しているのはもっぱら男性障がい者の性なのだ。「童貞のまま死ぬのは無念」という挑発的な叫びに加え、タイトルが『ピンクパレス』だ。それは性売買の店の名なのである。映画は、オーストラリアのメルボルンにある障がい者向けのアメニティ施設完備の性売買の店「ピンクパレス」を紹介しつつ、次のようなナレーションが入る。

> ピンクパレスを作ろうと主張しているのではない。ピンクパレスが存在しうる社会的環境に注目するのだ。私の見る限り、オーストラリアは障がい者の性を認めているようだ。(……)性はもとより障がい者の抱くさまざまな欲求の実現は、社会がその欲求を認めるときにのみ可能になると思う。
>
> (『ピンクパレス』、2005)

障がい者の性に関する問題が「童貞のまま死ぬのは無念」へと集約され、それが「障がい者にも買春する権利を」へと向かうのはオドロキだ。それに身体障がいと知的障がいと精神障がいでは異なるし、同じ視覚障がいでも程度や脈絡によって状況も利害もさまざまなはずなので、こうした思考はあくまでも非障がい者の男性の視点から男性障がい者を定型化し対象化したものだ。実際にこの映画の問題意識は、「40代の脳性まひ障がい者が一度でいいからセックスしてみたいとの願いから性売買の店を訪れ、門前払いされた」という記事から着想を得たそうだ。だが「一度でいいからセックスしてみたいという一生の願い」というのは、はたして単純な一度限りの性欲解消への訴えだろうか。誰かとつながり関係を築きたいという欲求を、性売買で手軽に解決してやろうという発想は暴力的だ。男性障がい者の性欲を性売買する権利と結びつけるこうしたフレームこそ、いずれは当事者の声を排除する。それは非障がい者の男性の視点を投影した主張にすぎない。

障がい者の権利の問題は、普遍的な福祉にかかわる領域だ。そうした事案を性売買する権利へと置き換えるのは問題である。障がい者にも買春者になる権利を与えよという主張が「人権」の領域に入りうるのか。セックス・ボランティアにされる側の人権には目を向けず、大手性売買業者をあたかも障がい者の人権のための場所でもあるかのように喧伝するのは、いたって韓国男性の買春者らしい観点だ。大手性売買業者ピンクパレスは、性売買女性の意思とは関係なく、すべての男性を買春者にすることが目的なだけであり、障がい者の権利を保障するための場所ではない。カネさえ払えば女性を取引できる市場に男性障がい者も参加できるようにしたのであって、性売買女性の立場からすれば、それはいかなる男性であれ選り好みせずに受け入れなければならないという意味でしかない。

２０１０年、「障がい女性共感[★16]」は障がい者の性サービスについてヨーロッパで研修を行い、記録を残した。研修では、視覚障がいを持つ社会心理学者で１９９０年代から障がい者の性相談をしているバベル・ミクラーから話を聞いた。ミクラーは、性的サービスが大半の障がい者にとってたいし

★16　障がい女性共感　1998年に創設された女性障がい者の人権運動団体。女性障がい者のための教育機関、女性障がい者性暴力相談所、女性障がい者自立生活センターなどを運営する。

て役に立たないだろうと判断している。理由は、障がい者の多くが望んでいるのはセックスそのものではなく、親密さだからだ🅕。障がいの程度とは関係なく、性売買においては同じ責任と権限を持ち、問題にアプローチすべきだ。非障がい者が「障がい者の性的権利」を掲げて障がい者も買春をしたいに違いないと語るのは、フィクションにすぎない。

「いつでもどこでも性売買を可能にせよ！」

小さな町の一車線道路沿いでしばしあたりを見回せば、10数カ所の「タバン（茶房）」の看板が目に入る。薔薇タバン、竜宮タバン、明星タバン……いわゆるチケットタバン▼17だ。さらに小さな団欒(だんらん)酒店★17や遊興酒店も1軒か2軒はある。そういう店は「休憩室」▼07という看板のこともある。これらの店は、デリバリー以外に「チケット」というサービスを提供している。収穫期の農村で、または漁船の入港する漁村で、どのタバンも新しい女の子が入ったといって客引きに躍起だ。

遊興酒店はルームサロン★18、テンパー▼24、フルサロン▼29などと呼ばれ、江南［ソウルの高級繁華街］の大通りから済州(チェジュ)島まで至るところにあり、マッサージ店は「健全な」前立腺マッサージを提供し、あちこちでOPルームが盛業を誇る。都市、農村、漁村、島等々、場所と業態とを問わず韓国のどこにでも性売買の店がある。インターネットでの広告が大勢を占める時代にもなお、道を歩けば視線の届くところ、足の向くところに性売買斡旋の広告がある。むしろ性売買のできない場所があるなら首をかしげたくなるほどだ。

2018年、慶尚北(キョンサン)道醴泉(イエチョン)郡の議員団がカナダに研修旅行に出かけた。この旅行で議員たちがガイドを殴り、「接待女性のいる店につれていけ」、「手引き▼22を頼む」と要求したことが表沙汰になって議会から除名された。皇帝ゴルフ旅行▼10に行って昼間はゴルフ、夜は性売買をしたという公共機関の職員や、公費で海外研修に行って性売買をしたという記事はしょっちゅう目にしてきた。

★17　団欒酒店　食品衛生法施行令第21条第8号ハによって「主として酒類を調理・販売する営業で、客が歌を歌う行為が許容される営業」と規定された業態。日本でいうカラオケ・パブだが、遊興酒店と異なり法規上は女性従業員の接待はないことになっている。実際はトウミと呼ばれるコンパニオンがいる場合が多い。

★18　ルームサロン　遊興酒店のうち、女性従業員［ホステス］のサービスを伴う個室型の高級店。

一方で、醴泉郡議会の議員はというと、要求はしたものの叶わなかった。どうしてか。ガイドは「ここにはそういう場所はない」と応じた。だが議員たちは何度も同じことを頼んだ。なぜそんなことを頼んだのかと問う記者に「スケジュールが終われば行きたい」、「正直いって、カラオケに行ったら文字も読めないし曲の番号を探してもらったり、そういうつもりで頼んだ」と答えたという。あるいは、この議員たちは運が悪かったのかもしれない。カナダのような国でなかったら、むしろガイドのほうから性売買の店に「親切に」案内してくれただろう。これまでの人生で「二次」や「コンパニオン[原文：トウミ]★19」のいない場所など想像したこともない面々だから、世界中どこでもそうだと思ったのではなかろうか。

世界に、性売買のない国があるだろうか。暴力団や殺人、強かんのない国はどうだろう。どんなところであれそうした犯罪は存在するだろう。だが、その程度についていうならば千差万別だ。韓国男性が買春をしに遠征する場所として広く知られているフィリピンやタイのように海外での性売買というとすぐに思い浮かぶ国がある一方で、そうでない国もある。カナダは2014年に買春を処罰する北欧モデルを取り入れ、町の随所に性売買の店が並ぶような風景は見られない。ルームサロンのように女性接客員やコンパニオンが酒の席につねに同席する店が通りを埋める国は、日本と韓国くらいだ。そうした性売買の規模の違いを生むのは、社会の意識と脈絡である。韓国や他の国々の「脈絡」については後述することとし、まずは韓国の性売買の規模について述べようと思う。醴泉郡の議員たちが「仕事終わりに立ち寄ろう」と軽く考えたコンパニオンのいる飲み屋や、どこであれ同席してくれる女性を供給する手引き屋がつねに控えている韓国の性売買の規模とはどれほどなのだろう。

2013年に大邱女性人権センターの発行した性売買実態調査資料集には、「コーヒーショップより多い性売買の店」というタイトルがついていた。コーヒーショップにもチケットタバンのような性

★19 トウミ 「手伝う、助ける」という動詞から派生した造語でアテンド、ヘルパーなどを広く意味するが、ここでは接客なのでコンパニオンと翻訳した。

売買の店が含まれることを考えれば、このことはさらに深刻さを増すだろう。2009年の外食産業の現況を発表した分析記事の見出しは、「簡易食堂より多い遊興酒店」だった。不況で廃業する自営業者が増えて簡易食堂は減少しているのに、遊興酒店はむしろ増えたからだ。この統計は相変わらず「風俗店不敗の神話」と解釈された。「下火にならない産業、韓国性売買報告書」というサブタイトルをつけて2012年に出版された『秘められた好況』という本で、著者は韓国の性売買に関する統計数値をこう表現している。「韓国津々浦々[性売買の店が]存在しない場所はない」。

現行の「性売買防止法」第4条に基づき、国は3年ごとに性売買の実態調査をするよう義務づけられている。「性売買防止法」制定前の2002年の調査ののち、同法に基づいて2007年から2019年までに計5回の実態調査が行われた。調査の範囲は従来からの性売買集結地から二次形態の性売買を斡旋する遊興酒店等を含む性売買斡旋可能業者まで網羅している。ウェブサイトやモバイル用のアプリケーションを介した性売買の斡旋が社会問題として浮上したため、それも実態調査の主要な対象になっている。

調査によると、性売買産業の事業規模は2002年に24兆ウォンだったものが2007年に14兆ウォンと、それなりに縮小したように見えはするものの、2015年に韓国刑事政策研究院が最大値として推定した韓国の性売買の市場規模は37兆ウォンだ。この驚くべき数字は、「性売買防止法」が性売買を満足に取り締まることもコントロールすることもできていないことを示している。法律は制定されたが、実際に犯罪として認識し、法の執行力を発揮させることには失敗したことの証左でもある。すでに2002年に国内総生産の4・1パーセント水準まで膨れ上がっていた性売買市場は、利害関係者にとてつもない影響力を行使し、公権力[警察、検察、司法、政府]を凌駕する巨大な権力として君臨していたからだ(G)。

ヤミマーケット専門の調査機関である米国ハボックスコープ(Havocscope)による2015年の発表によると、韓国の性売買市場は約12兆ウォン、世界第6位の規模だ。性売買業者の規模、利用回数といった統計は把握が難しい。特に海外機関の調査はだいたい保守的な数字になるという評価が多い。実際に韓国刑事政策研究院は、韓国の性売買の市場規模をハボックスコープの推算値の3倍水準である30兆から37兆6000億ウォンと推定しているⒽ。

性売買のかたちづくるヤミマーケットの取引規模が世界6位ならば、韓国の買春者の数はどれほどだろう。2010年の実態調査は「韓国男性10人に4人が性を買った」と報告している。2018年にKBSテレビ「追跡60分」では、ウェブサイトに登録された性売買業者は2393カ所、全国の高校の数より多いという比較を出して、韓国の性売買市場の巨大さをショッキングに示してくれた。ウェブサイトに登録されたこれらの業者が買春データベースを作成し、買春者たちの買春レビュー掲示板を運営し、斡旋業者の営業に関連する売買からコンサルティングまでほぼすべてを網羅した情報を共有、支援する。業者の保有していた買春者のデータには約1800万の番号が振られていた。重複記載や虚偽記載等を考慮するとしても、韓国の総人口が約5000万人だから充分に驚くべき数字だ。

性売買斡旋業者はカネになるならいかなる手法であれ、新たな場所と市場を生み出しつづける。いつの時代にも新種・変種の性売買と呼ばれる業種が生まれては消えていった。さらに明らかな事実は、韓国社会では性売買を斡旋する顕在化した大手業者が性売買市場の上層を占め、社会的にも強大な影響力を行使しているということだ。そしてそうした権力が性売買に対して、ますます堅固な通念を作り出す。「性売買が根絶されることはない」、「性売買は法律では防ぎようがない」といった通念は、日常を支配する性売買の規模によって支えられているのだ。

いかなる犯罪からも完全無欠な状態の社会は存在しない。重要なことは社会が何を容認し、何を容認しないかだ。特定の犯罪についてその社会がどれほどの問題意識を持ち努力するかによって、社会の安心安全は国ごとに顕著な開きを招く。私たちが性売買を許容する程度によって、その規模が縮小することも拡大することもあるということだ。韓国の巨大な市場は、社会のなかでいかに多くの者が性売買を容認しているかを裏書きするものだ。性売買の市場規模を縮小させていくための方法論はさまざまあろうが、「こんなに巨大なのにどうにもならないだろう」といった「通念」は方法論ではありえない。誰がこうした諦(あきら)めをあおり、性売買を当然のものに仕立てあげているのか、そのことで得をするのは誰なのかを考えてみるべきだ。

性売買が日常になった韓国では、日常文化の変化のあり様につれ、そのなかに存在する性売買の営業形態も動きつづけ、変化する。「あらゆる場所で性売買を可能にせよ」。それが性産業ビジネスの論理であり、市場の自由こそ最高の価値だと唱える新自由主義経済の資本の論理だ。インターネットが発達したらそこに、カラオケが活況ならそこに、スワッピングが流行ならそこに、SOHO型物件が人気ならそこに。韓国で性売買はあらゆる場所に付随するサービスのかたちで存在する。

いつでもどこでも性売買をせよと勧める社会、それがこの国の現実だ。だとしたら、いったい何がこうした現状をもたらしたのか。

性売買実態調査

「男性嫌悪（ミサンドリー）をあおるためのでっちあげじゃないの？」

ある講演の際、韓国男性の買春経験の割合が50パーセントという内容を問題視し、女性家族省による実態調査は間違っていると問題提起した人がいた。同様に、調査そのものを問題視する書き込みはネット上にも容易にみつかる。

性売買防止法（「性売買防止および被害者の保護等に関する法律」）第４条第１項は、「女性家族省長官は、３年ごとに国内外の性売買実態調査（性接待実態調査を含む。以下同じ）を実施して性売買の実態に関する総合報告書を発刊し、これを性売買の予防のための政策策定の基礎資料として活用しなければならない」となっている。韓国男性の買春の比率が50パーセントという内容は、同法に基づいて２０１６年に実施された調査の結果、２０１７年に発表されたものだった。

性売買実態調査の内容は、「性売買防止および被害者の保護等に関する法律施行規則」第２条で規定している。詳細は以下のとおり。

性売買防止および被害者の保護等に関する法律施行規則

第２条（性売買実態調査の方法および内容）

①女性家族省長官は、「性売買防止および被害者の保護等に関する法律」（以下「法律」という）第４条第１項による性売買実態調査（性接待実態調査を含む。以下本条では同じ）を女性家族省長官が指定する機関または団体に依頼して実施することができる。

②第１項による性売買実態調査の内容には次の各号の事項が含まれなければならない。

韓国の性売買

SCENE 01

【改正2017・9・18】

1　性売買事業者(性売買斡旋可能事業者を含む)に関する事項
2　性売買の発生要因および発生類型による性売買の実態
3　オンライン等社会環境の変化に伴う性売買の実態
4　性売買に関連する者の実態
5　その他性売買実態調査に関連して女性家族省長官が必要だと認める事項

性売買実態調査、特に違法な性売買斡旋業の規模等を把握することは容易ではない。ヤミマーケット専門の調査機関である米国ハボックスコープは2015年の韓国の性売買市場が世界第6位の規模だと報告したが、韓国刑事政策研究院はその実際の数値をハボックスコープの推算値の3倍以上と推定している。実際に調査はかなり難航し、女性たちの証言や警察の調査、裁判での判決、「二次」および店内で性売買を斡旋することがわかっている複数の業種のデータに基づいて推定値を算定する方法を用いるしかない。そのため、そうやって作成された資料は政策策定や対策整備等のための参考資料には使えるものの、政府公認の統計資料として承認するには無理があると判断され、統計庁では「政府未承認統計」に分類している。

「性売買防止法」の制定後3年に一度実施する全国性売買実態調査の主務官庁は女性家族省だが、それを実施する機関はその都度決定されている。2010年の調査はソウル大学社会発展研究所が担当し、韓国男性の10人に4人(37・9パーセント)に買春経験があると報告した❶。2013年には韓国刑事政策研究院が調査を実施した結果、一般男性の回答者の56・7パーセント(1200人中680人)が過去に1回以上は性を買った経験があると答えた❶。問題として指摘されている買春者の統計数値については、数値そのものより数値の意味するところを検討すべきだろう。アンケートが行われる脈絡やさまざまな状況を基本的な土台としつつ、こうした数値をどう解釈し、政策に反映するかが重要な課題だ。

韓国の性売買問題の核心は、その巨大な規模にある。そしてカギとなるのは、そこに結託した公権力、不正腐敗の連鎖を断ち切ることだ。実態調査に現れる買春率の高さは、つねに性売買斡旋業者にとって喜ばしい知らせだろうが、毎回それを確認させられるのはきわめて残念なことだ。斡旋業者はさらに多くの需要を創出するために各種の違法行為に及ぶが、そのひとつが買春を増やすための広告だ。２０１９年に警察の捜査で閉鎖に至った韓国最大の性売買斡旋広告サイトには70万人の会員、21万件の買春レビューが登録されていた。恋人の性売買［買春］履歴を教えてくれるという事業を始めた「風俗探偵」というサイトは、警察が摘発してみたところ、性売買斡旋業者らが共有する「ゴールデンベル」というアプリケーションに登録されたなんと１８００万人もの買春者リストを利用したものだった。性売買斡旋業者はこうした買春者リストの人数で威力を誇示し、この莫大な数字が自分たちの不法行為を正当化してくれるとして相も変わらず世論を作り出している。性売買のこの莫大な斡旋規模は実際に限りなく性売買をあおり、市場を確保している。社会的な脈絡においてすでに広がってしまった大規模な性売買斡旋を根絶するには、性売買実態調査の資料は必要だ。

事実、女性家族省は性売買実態調査の資料の公表を延期し、そもそも統計庁の承認資料として発表していない。世論の攻撃はプレッシャーだろうし、性産業を法律で禁止していながら、それを黙認・幇助した結果たる実際の規模を国の統計として残すことには負担と困難が伴うだろう。多額の政府予算をつぎ込んで実施した、性売買問題解決のための基本的な政策資料が、メディアの情報公開請求を経てやっとのことで共有されるに至った。社会の構造に根を張った問題をひとつの資料や調査で完全に把握するには不十分なのは世の常。だが問題の状況をさらけ出し、解決への道筋を探るために最低限の持続的な調査は必要であり、その内容は積極的に活用されるべきだ。

第1章　原注

Ⓐ 「『エロ動画が規制されたから性暴行するしか』、n番ルーム被害者を苦しめる暴言」『アジア経済』2020・3・24

Ⓑ 1961年に制定された「淪落行為等防止法」を廃止し、2004年に制定された韓国の性売買関連法を便宜的に「性売買防止法」または「性売買特別法」と呼ぶ。この法は性売買斡旋業者の処罰を大幅に強化した「性売買斡旋等の行為の処罰に関する法律」と、性売買の予防と人権の保護のための国の責任を明示した「性売買防止および被害者の保護等に関する法律」からなる。本書ではこれら2つの法律を区分することなく、総称として「性売買防止法」を使用する。

Ⓒ 1955年、身分を偽って数十人の女性と関係して婚姻詐称姦淫罪に問われて起訴された朴仁秀（パクインス）の1審裁判で、権純永（クォンスニョン）判事は実際に「遊んだ」女性たちが処女ではないという理由で、「保護する価値のない貞操は保護しない」として無罪を言い渡した。

Ⓓ 小説家・宋基元（ソンギウォン）の『裏路地紀行』（1989）に収められた木浦（モッポ）の性売買集結地で出会った女性についてのエッセイをもとに脚色された演劇。少女のころ詐欺師にだまされて性売買集結地に売られ、そこで20年以上すごしてきた女性の生のあり様を男性買春者の視点から描く。著者は己の人生が正しい方向に進むうえで、その「老いた娼婦」のことばに負うところが大きいと語る。

Ⓔ ク・ソンモ「もっと刺激的に、もっと変態的に、もっと知能的に！　奇想天外な性売買の新風俗図」『新東亜』2014・8・20

Ⓕ 「ゼクスアルベグライトゥング（Sexualbegleitung）についての探求」『BeMinor』2010・6・29

Ⓖ 2002年の実態調査で韓国刑事政策研究院は、韓国の性売買市場の売上規模を約24兆ウォンと推定した。兼業型の性売買業者で1年間に性売買によって算出される総売上高は約16兆5000億ウォン、さらに専業型の性売買集結地の年間売上高1兆8000億ウォンあまり、その他の性売買関連産業が市場に占める割合を24パーセント程度とみなし、計24兆ウォン程度と推算した。これは2002年の推定国内総生産（GDP）の4・1パーセントであり、農林漁業の割合4・4パーセント（2001年を

基準とした対ＧＤＰ比）に匹敵する巨大な規模だった（『性売買の実態および経済規模に関する全国調査』女性省、２００２）。

Ⓗ カン・ソック、チェ・ソンナク『組織犯罪団体の不法な地下経済の運営実態および政策対案研究２』韓国刑事政策研究院、２０１５

Ⓘ 韓国の性売買報告書「昨年、韓国男性の10人に４人が性売買」『ハンギョレ21』２０１１・11・29

Ⓙ「２０１３性売買実態調査③ 性売買を始めた主たる動機は家出」『日刊スポーツ』２０１４・９・30

第2章

韓国の性売買の誕生

性売買大国

彼女は、日本で性売買をしたと言った。20歳になったばかりの彼女はまだ10代の少女のように見えた。不安そうに落ち着かない目で日本の買春者がいかに変態的か語った。家族のいなかった彼女は16歳からチケットタバン(茶房)▼17で働いていたが、膨れ上がった前払金▼31を返せるうえ、もっとカネが稼げると聞き、友だちと一緒に日本に渡った。日本に着くとすぐ、衣装というには心もとない肌が露わな衣装を着せられてプロフィール写真を撮った。その写真は地元の生活情報誌に載った。買春者が写真を見て女性を指名すれば指定の場所に行く「デリヘル」、つまり一種の派遣型性売買業者のもとで働いた。きっかり3カ月だった。帰国後もまだ前払金は残っていた。2007年のことだ。彼女は買春男性から2対1(3P)のような通常よりハードなサービスを要求されるたびに、丁重に[日本語で]「スミマセン」と訴えたという。見た目は物静かで礼儀正しそうなのに、やりたいプレイはなんでもやらせ、韓国同様コンドームを使いたがらない買春者が大半だったそうだ。

支援活動に取り組むあいだ、「性売買防止法」のせいで海外に「遠征」に行く女性が増えたという恨み節をずいぶん聞かされた。だが、それ以前からすでに日本や米国、オーストラリアへの人身売買は深刻な状況だった。2000年頃から、各種の時事番組でこのテーマは繰り返し放送されていた。その頃から店の経営者が性売買集結地にいくつもビルを所有しているだけでなく、地方や日本にも店を持っているという話を、性売買女性を通じて耳にしたこともあった。「性売買防止法」が制定された時期にも、日本に行くよう言われたという相談が多かった。新たに制定された法律のせいで女性たちが逃げ出すと懸念した業者が、前払金の累積額の多い女性に日本行きを働きかけていた。女性に日本などの海外行きを勧め、移動後に現地の店で働かせるシステムがすでに定着していたから可能なことだった。業者の持つそうした国際的な組織力と影響力の根拠になっているのは、韓国での性売買で蓄積した莫大な資本だ。韓国の国内市場が飽和状態になって競争も激化すると、斡旋組織は海外に目を向けた。斡旋業者と抱主の海外進出だ。そして女性たちを移動させたのだ。

韓国の性売買市場の形成を語るには、まず日本の性産業について述べる必要がある。現在の韓国の性売買の規模と形態を決定づけた原因は、まぎれもなく日本にあるからだ。1876年に朝鮮と日本の間の不平等な条約だった江華島条約(日朝修好条規)★01の締結後、遊廓や料亭など日本式性売買方式が流入するようになった。その後、植民地期を経て日本式の性産業はそのまま定着した。

★01 日朝修好条規 1875年に日朝間で起きた武力衝突である江華島(カンファド)事件を契機として結ばれ、清の支配権を排除して朝鮮の独立を明記した一方、朝鮮側には片務的領事裁判権の設定や関税自主権の喪失を認めさせた不平等条約。江華島で調印されたことから韓国では「江華島条約」とも呼ばれる。

女性を接客員として置き、酒の酌をさせ、座を盛り上げるよう法律に明示されている国は、世界でも日本と韓国ぐらいだ。ソープランド、耳かき専門店、キスルーム★02のような「創意工夫をこらした」性売買業者の元祖もまた日本だ。日本文化の持ち込みを認めず反日教育に力を入れていた時期にも、韓国の政権は日本男性を接待するためにあらゆる形態の性売買を観光という名のもとに奨励し育成していた［1970年代に盛行したキーセン買春観光を指す］。日本の芸術映画は観ることができなくても、AVと呼ばれる日本製の成人向けの猥せつ動画が手軽に流通していた奇妙な時代が、今この地に巨大な性売買産業をつくり上げたのだ。

韓国の性売買のルーツ

現在、韓国社会の性売買を歴史の面からひもとこうとするとき、朝鮮王朝時代以前と現在の性売買とを比較対象することには意味がない。身分制社会において使用人は奴婢であり、あらゆる権限は主人たる両班(ヤンバン)にあった。女性の奴婢は主人がその気になりさえしたらお手付きにしていい対象だった。妓生(キーセン)は官付きの奴婢であり、その記録はきわめて限られている。高麗時代［918〜1392］に中国から官妓制度が導入されて妓女(キニョ)と呼ばれ、朝鮮［王朝］時代に妓生へと呼び方が変わったことが知られている。身分制社会で奴婢だった妓生はむしろ文物や芸能を学ぶ機会があり、ごく一部には技芸で後代に名を残した者もいる。つまり妓生は官妓という身分で両班や官吏に仕えたとはいえ、性売買は主たる役目ではなかった。妓生による記録として唯一残っている詩文集である『消愁録(ソスロク)』★03から、その苦難の日々の一端をうかがい知ることができる。

上様に侍(はべ)り、奥方のお出かけに相伴(あいともな)い、二十歳(はたち)にても遅からざるを十二にて成人せる（相手をさせられる）**に、これありうべき礼節なるや、けだものに等しからん**

★02 キスルーム 2009年頃から目立ってきた女性従業員とキスできる店。「性売買防止法」に規定がなく取り締まり対象でないことから拡大したが、未成年者の立ち入り、類似性行為をする店の登場などで問題化した。食品衛生法、雇用安定法などによる取り締まりは行われているが、取り締まりを逃れるためにネット広告で予約した客だけを対象に看板などを掲げずに営業する店も多いという。

★03 消愁録 著者・編者未詳の14篇の随筆・書簡・時調（伝統的な定型詩）からなる1巻1冊のハングルによる詩文集。1894年に筆写されたものが唯一残る。タイトルもハングルで書かれており、「消愁録」という漢字表記は研究者による推定である。

1830年に書かれた黄海道海州（ファンヘヘジュ）の妓生、明嬋（ミョンソン）の文である。主人のいいつけに従うほかない官婢の身の上が短い文章からも切々と感じられる。貧しい庶民の暮らしがいっそう厳しさを増していた朝鮮王朝時代末期にはいわゆる「蝎甫（カルボ）」と呼ばれる遊女、★04つまり街頭で性売買をする女性が増えたとはいえ、国の公認のもとで公娼制が実施されたことはない。

現在、韓国で性売買を論じるとき、「性売買はもっとも古くからある職業」とか「すでに歴史上大昔から存在していた」などという声がつねにつきまとう。もちろん、だから現在の性売買が自然な現象であると主張したいがための発言だ。だが奴隷制の時代のことを持ち出したところで、現在も奴婢や身分制が必要だとは言わない。古くから存在していたということが現在の根拠になるわけではない。身分制社会の奴婢を呼び起こして現在の性売買と関連づけるやり方は、現在を生きる者によって脚色されたフィクションだ。

公娼制は、日本が［朝鮮で］政治的支配力を確立していく過程で登場した。それは乙巳勒約［＝第二次日韓協約、★05 1905年］より以前に、神社とともに真っ先に導入された制度だった。1876年に江華島条約を締結して朝鮮を強制的に開港させた後、開港場を中心に形成された日本人居留地において性売買集結地に当たる遊廓を中心に性売買がさかんに行われた。1881年初めに釜山（プサン）や元山（ウォンサン）などで性売買女性である「娼妓（しょうぎ）」を管理する規制が施行され、娼妓になれる年齢を15歳以上と定めて毎週1回の性病検診を受けさせるようにした。1916年には［「貸座敷娼妓取締規則」により］朝鮮半島全土で公娼制が実施された。朝鮮の公娼制の確立過程は、性病検診の対象を拡大する過程だった。この時期の公娼制実施の目的は、［朝鮮駐屯］日本軍内の性病を管理し、朝鮮に移住する日本人の便宜と衛生のためだった。現在もなおその痕跡が残るソウルの龍山（ヨンサン）、清涼里（チョンニャンニ）、釜山の玩月洞（ワヌォルドン）、★06大邱（テグ）のチャガルマダンなどはいずれも、日本によって創られた遊廓だった。

★04　蝎甫と呼ばれる遊女　蝎甫は日清戦争時に日本人性売買業者・女性が急増したのと時を同じくして、新たに朝鮮社会に出現した。ただし「遊女」と解するのは問題があるという説もある。

★05　第二次日韓協約　日露戦争後の1905年、大韓帝国の外交権を奪い統監府を置いて保護国化する内容の協約。韓国では同年の干支から「乙巳勒約」と呼ばれる。「勒」は馬具のくつわ、強制の意。

★06　玩月洞　第1章脚注★12を参照。龍山、チャガルマダンも同様の性売買集結地。

植民地期に性売買女性に分類されて性病管理を受けた女性は、遊廓にいる娼妓だけではなかった。料亭や料理店といった接客業者で働く女性たちは「芸妓」、「酌婦」と呼ばれ、全員が管理対象になった。この時期には公娼がいる遊廓とともにカフェ、飲食店等の接客業での私娼営業も増加した。そうした店で働く女性たちは「サービスガール」と呼ばれて花柳病(性病)患者扱いされ、性売買業者の増加で競争も激化した。そのため性売買女性はさらに多くのサービスを要求され、花代(はなだい)は引き下げられるなど処遇はますます劣悪になった。植民地期、日本の戦時体制下にあっても、遊興業も「生業報国の一方法」、「一体社会の発展のありようを物語る」として、警察は享楽・遊興業者の取り締まりを留保して性売買産業の持続を図った。その過程で植民地朝鮮の性売買市場と性売買政策はシステマティックに結びついた。現在の韓国国内の性売買集結地と性産業の土台は、こうして日本が植民地朝鮮に持ち込んだ性産業の組織的・政策的な制度化を通じて作り上げられたのだⒶ。

当時の新聞記事や小説などによって、性売買女性の処遇や実態を類推することができる。玄鎮健(ヒョンジンゴン)の小

写真4◉
植民地時代の釜山の緑町遊廓。朝鮮開港後日本人が最も早く移民した釜山に1880年代初め日本式貸座敷上陸が確認できる。その後、現在の俗称玩月洞に設置された「緑町遊廓」は植民地遊廓の代名詞になるほど繁盛した。植民地解放後は韓国を代表する性売買集結地になった(第1章写真2参照)〈出典:朝鮮写真絵葉書データベース〉

説集『朝鮮の顔』に収録された「故郷」（1926）という小説には、貧しい家族でわずかばかりのカネと引き換えに娘を遊廓に売り、その家族が羞恥心から故郷を離れざるをえなくなった物語が描かれている。

> その父親なる者が二十円を手にして大邸の遊廓に売り飛ばしたのだった。その噂が広まるや、娘の家族は村では暮らせなくなり遠く引っ越したのだが、その後は無論互いに一度たりとも会うこと叶わなかった。このたびようやく更地のみ残る故郷を目にして戻る途上、村内にてその妻になるやもしれなかった者と鉢合わせした。娘は日本人の家で子守をしていた。斯かる女は二十円の形を十年かけて返したものの、なおも借りが六十円も残ったが、身に悪疫罹りて年老いて生ける屍となったゆえ、主なる者が特別に借りを蕩減してやり、昨年秋になってついに放免となったのだった。
>
> （玄鎮健「故郷」より）

この小説の結末は、「稲刈りした田圃は新道に、もの言う輩は監獄に、煙管叩いてた爺さんは墓の下、べっぴんな女子は遊廓に」という当時の流行り歌を引用している。

僧侶にして独立運動家だった韓龍雲は詩人としても知られるが、数編の小説も発表している。1938年に朝鮮日報に連載していた小説『薄命』からは当時の性売買女性の生きざまがうかがえる。当時、券番に属して料亭や料理店などで接客する女性を妓生、それより安価な飲み屋などで働く女性は酌婦、遊廓などに拘束されて性売買をする店の女性は娼妓と呼んだ。小説で「酌婦の境遇にも及ばぬ娼妓」として売られることになった彩蘭は、「一日にあんな奴こんな奴、幾人も相手にしなきゃならんから、二夫にまみえずとはいかんまでも吾身を三文の犬肉でも売るがごとくできようか、いっそ死ぬほうがまし」と言って己の身の上を嘆く。小説には、公に指定された性売買集結地ばかりか、接客業に従事する女性すべてを性売買と結びつける現在の韓国型性売買の先駆けが描かれる。斡旋業者の存在もまた鮮明だ。

帰るったって、こちとら只で帰すわけにゃいかん。お前を連れてくるのに元手が百余円もかかった。おおまかに見積もってもこっちから二人で迎えに行ったろ、あっちで幾日手間どったろ、また三人で車賃かけて戻ったろ……だからだいたい二百余円はくだらない。

（韓龍雲『薄命』より）

数え14歳の順英（スニョン）が働けないと言ったとき、順英をつれてきた紹介業者が告げたことばだ。女性たちの身売りの際の価格形成の手法だった「前借金」は、現在の前払金の元祖といえる。親によって売られたり、いい働き口があるとだまされたりして性売買に手を染めた女性たちは、前借金という借金のカタとして人身売買され、店では自殺を図ることもたびたびあった。

遊廓（大邱の遊廓）の娼妓キム・ボンオクは去る五日午後五時頃、遊廓内にて阿片を飲み込みて死なんとするも、共にありし人々に発見され直ちに付近の某医師に応急治療を依頼せしゆえ幸いにも命に別条なかれども、その原因は幼き頃から娼妓として身売りされ、他の人と等しき正当なる生活の叶わぬことを悲観してのことという。

（『時代日報』、1924・5・9）

当時の国際社会は、日本の公娼制を人身売買、人権蹂躙と判断して廃止を要求したが、日本は戦争を拡大して日本軍慰安所まで運用した。日本の敗戦まで朝鮮内の遊廓は維持され、性売買市場拡大の根幹をなした。

解放後に日本人業者が撤退した跡地は現地の業者に払い下げられ、一部は暴力団が手に入れた。米軍政は女性団体の猛烈な批判を受けて1946年に「婦女子の売買またはその売買契約の禁止」を、1947年に「公娼制度等廃止令」を発表して制度の廃止を断行した。世論に押されて公娼制廃止等の立場を表明し制度を整備したものの、38度線以南では性売買を禁止するのではなく管理・規制する政策を採用した。米軍兵士のための定期的な性病検診を実施し、証明書を発行するなど、植民地期に日本が構築した制度的基盤を活用しつつ性売買女性を体系的に管理する方向へと進んだ。公娼制廃止後も妓生、娼妓、ダンサー、女給ばかりか看護師までも間欠的に行われる性病検診の対象となった❸。朝鮮戦争勃発の翌年である1951年、政府は既存の性売買集結地等に連合軍慰安所を設置し、かつて妓生や酌婦、女給、ダンサー、慰安婦だった者を接客婦と称し、書類を備えた者に許可証を交付した。

昨年7月に国連軍専用の慰安所として当局の臨時許可を受けて運営されてきた桃源洞（トウォンドン）の18箇所の慰安所は、このところ国連軍関係者の出入りはわずかで韓国人の出入りが7、8割を占める実情であり、昼夜をわかたず約100人に及ぶ私娼を雇用して事実上人身売買の遊廓を復活している。

（『大邱毎日新聞』、1951・11・26）

解放後、米軍政は日本の置き土産の公娼制を廃止★07した。だが、朝鮮戦争［1950〜53年］を経て、それは形式的な掛け声に終わってしまった。朝鮮戦争の際、韓国政府によって全国の性売買集結地が連合軍の慰安所に指定されたことで、管理主体と買春者の顔が入れ替わっただけの空間になった。さらに朝鮮戦争が停戦となって経済発展が国の主要な課題となった1960年代から、

★07 公娼制を廃止 植民地解放直後から女性運動は左右を問わず、公娼制廃止を主張した。米軍政下の朝鮮南部（現・韓国）では、1946年5月17日に軍政法令70号「婦女子の売買またはその売買契約の禁止」を発表し人身売買を禁止したが、公娼制廃止は含まれなかった。その後、1947年11月14日に南朝鮮過渡政府法律第7号「公娼制度等廃止令」が公布され、翌48年2月から発効した。

性売買集結地は特定地域として本格的な国家管理体制のもとに置かれ、二重の統制が可能なように改編された。

そうした過程を経て性売買女性たちは、「娼妓」から「慰安婦」に、さらに「淪落女」になった。このとき、男性の欲求のための道具として国家的管理の対象になる女性たちは、国家の必要によって動員されながらも、同時に道徳的に堕落した存在と規定された。その後、韓国社会は1990年代まで性売買女性に対する監禁や統制は当然のことと考え、搾取的な性売買産業が公の庇護のもとでさかんに行われることとなった。

国家が助長した米軍「慰安婦」

解放後、米軍政は自分たちの道徳的優越性を誇示し、反共イデオロギーのもと自由民主主義社会を打ち立てるという名分のためにも、日本が導入した公娼制を放置しておくわけにはいかなかった。だが米軍政期の公娼制廃止は掛け声にすぎず、実質的にはまったく実行する意思がなかったものと思われる。そのことは基地村★08など解放後に形成された韓国内の米兵のための施設や、性病管理システムなどを見ればわかる。やがて既存の遊廓が私娼街化して呼び名が変わった。大邱の八重垣町(やえがきちょう)遊廓は「チャガルマダン」に、大田(テジョン)の春日町(かすがまち)遊廓は「中洞(チュンドン)10番地」に、釜山の緑町(みどりまち)遊廓は「玩月洞」に、仁川(インチョン)の敷島町遊廓は「仙花洞(ソヌアドン)」になった。

解放後から米軍政、朝鮮戦争を経るうちに、日本式の公娼制に米国式の性売買管理政策が加えられた。その後、朴正熙(パクチョンヒ)によるクーデターで成立した1961年以降の軍事政権は、腐敗と旧悪の一掃を優先課題に掲げた。なかでも社会風紀の浄化と国民保健という目的のもと「淪落行為等防止法」が発せられた。法律名に表れているように、軍事政権は性売買女性を道徳的に堕落した存在と規定したが、同時に性売買集結地内に「淪落行為等防止法」の適用除外の規定を設

★08 基地村 ここでいう基地村とは、在韓米軍基地の周辺に形成・発展した、米軍兵士を相手とする性売買集結地のこと。

けて性売買そのものは黙認した。1962年には淪落女性善導計画に基づいて内務省・法務省・保健社会省といった省庁が共同で特定区域の設置を決定した。同年6月に保健社会省は全国に104カ所の性売買集結地を設置して運用を始め、全国的に集結地と基地村を認定したのだが、それは法的根拠もなく行われたことだ。

特定区域に指定された104カ所は植民地期に公娼制によって形成された遊廓の大半が含まれ、政府が必要に応じていくつかの地域を除外したり新たに編入したりした。特に米軍部隊のあった基地村を中心に、いくつもの新たな性売買集結地が生まれた。ソウル、釜山、大邱の米軍基地の周辺にも基地村があったが、特に仁川、坡州(パジュ)、議政府(ウィジョンブ)、平澤(ピョンテク)、東豆川(トンドゥチョン)といった京畿(キョンギ)道にある米軍に基地村を中心に性売買集結地が置かれた。

1957年の「伝染病予防法」、1962年の「食品衛生法」に基づき、政府は基地村の女性の身元登録を義務化し、定期的な性病検診を実施した。1963年に改正された「観光事業振興法」には、駐韓国連軍および外国人船員専用の観光ホテル業で提供される酒類の酒税を免税とする条項が新設され、1964年の「地方税法」改正によって料理店、ダンスホール、キャバレー、バー、ホテルなどで駐韓国連軍将兵の宿泊を含む遊興飲食行為も免税とした。1969年の交通省編『交通統計年報』で観光分野の外貨収入を見ると、1960年代前半まで全観光分野の外貨収入では米軍からの収入がもっとも多く、政府に登録された観光業者の絶対多数が「バー」であり、国連軍専用のホールから獲得した外貨の割合が圧倒的だった。朝鮮戦争後の疲弊した経済状況において、韓国の観光産業は政策として「基地村洋公主(ヤンコンジュ)[公主は「お姫様」の意]」と呼ばれる米兵相手の街娼を積極的に養成し、それを足がかりにして成長した。

1969年に造成された全羅(チョルラ)北道群山(クンサン)市の「ファンタスティック・ワールド★09(アメリカ・タウン)」Ⓒは、性売買を含む遊興のために野原の真ん中に計画的に設けられた「性売買の街」だ。週末になると

★09 ファンタスティック・ワールド 現在の施設名は「インターナショナル・カルチャー・ヴィル」、もよりのバス停の名称は「国際文化村」。

鉄製フェンスで囲まれたこの街に、近隣の基地の米兵がシャトルバスに乗ってやってきた。朴正熙(パクチョンヒ)政権期に権勢を振るった白泰夏(ペクテハ)大佐によって造成されたアメリカ・タウンは、米兵向けのクラブ、レストラン、理容店、各種商店、両替所を備え、500室あまりの部屋に基地村女性を待機させて性売買をさせていた。米兵相手の「慰安婦」★10が性病の治療を理由に監禁されていた「モンキーハウス」は、「落検者収容所」だった。「落検者」とは性病検診を通らなかった、検診結果証を持たないか確認印を押してもらえなかった女性のことだ。モンキーハウスというのは、監禁された女性たちが鉄格子に張りついている姿が猿のようだとしてつけられた名称で、証言によると、国家によって隔離収容されたままそこで自殺したり、治療の副作用で亡くなった女性も多かった。

米兵の買春の便宜のために女性たちを収容して国家が性売買を助長し、落検者を監禁したファンタスティック・ワールドとモンキーハウスは、政府が犯した違法な人権侵害のケースだ。そのため基地村「慰安婦」だった122人の女性たちが、2014年に「韓国内の基地村米軍慰安婦国家損害賠償請求訴訟」を起こした。訴状には「被告大韓民国は、1961年に制定・公布された『淪落行為等防止法』によって性売買が全面的に禁止されたにもかかわらず、基地村を形成・管理して事実上性売買を幇助・勧誘・助長するに至ったことによって原告らの人権を侵害」したと書かれている。結果は「一部勝訴」だった。2017年、ソウル中央地方裁判所は、性病に感染した基地村女性たちを強制的に隔離収容したことを不法行為だったと判断し、原告(120人のうち57人に対してそれぞれ500万ウォンを支払うよう言い渡したが、国家が性売買を助長し、「愛国教育」の名分で女性たちに性売買を強要した点は認定しなかった。米軍「慰安婦」に対する歴史をとらえなおし、および記録に残す事業はなお進行中だ。

★10 **「慰安婦」** 2018年2月のソウル高裁判決では、米軍基地村女性への韓国政府の国家責任と賠償を認めた。なお、「慰安婦」という用語は、そもそも植民地時代の日本軍「慰安婦」制度に由来するが、植民地解放後から1970年代頃まで主に米軍相手の基地村女性を指して使われた。

買春観光とホステス映画の全盛期

「おまえらとは比べものにならない、モデル級に背が高くてスラっとした女が、日本人とホテルにぞろぞろ入っていったぜ」

高校の授業中に社会の先生がそう言った。ひどく冷笑的な口ぶりだった。体罰という名の暴力も教育だと思われ、セクハラは一種の定番オプションだった頃のことだ。その先生が女性を責めていたのか、それともそんな状況を目にするのを恥辱と感じていたのかはよくわからない。ただ、そのとき教室に座って話を聞いていた私たちはみな、それが「キーセン観光」だということは知っていた。

中学生の頃、教室で友だちが持ち込んだ成人向けのイエローマガジン▼02を回し読みした。中学生の私にとってはとても衝撃的だったせいか、今でも鮮明に憶えている記事がある。観光客の日本人男性を接待する［ソウルの］弥阿里(ミアリ)の店の風景だった。チマチョゴリ姿の女性たちが下着を脱いで性器にさまざまな器具を挿入し、いわゆるショーを演じている様子をイラストまで載せて事細かに説明していた。下校途中、薄暗くなると赤い照明のともるウィンドウの中で椅子に座った女性たちの姿がただただ寒々しく思えた「青少年通行禁止区域」［性売買集結地を示す］をよく通ったものだ。

もう少し成長して性売買が問題だと認識するようになると、思っていたより自分が性売買と無関係でなかったことに気づいた。過去のシーンのなかに性売買に関連するイメージや場所はいくらでもあった。近代文学の授業で学んだ短編小説に、いくつもの映画のなかに、道端に、大人たちの何気ない会話に、性売買はすでに当たり前の日常の構造と文化としてどこにでも存在していた。

現在の韓国の産業型性売買のタイプと規模をかたちづくったのは、キーセン観光と命名された管理型性売買政策だといっても過言ではない。企業の慣行としての接待文化は、植民地期およよび朝鮮戦争を経た廃墟の上で当時の政権が選択した政策だった。輸出による高度成長を目標に、日本などの外国資本に依存しつつ、韓国は接待のためにキーセン観光を提供した。性売買集結地として遊廓と基地村、そして産業型性売買業者である料亭やルームサロン★11といった遊興酒店★12、マッサージ店などは、公式の韓国の観光政策として宣伝された。

1970年代はいわゆる「ホステス映画」の全盛期だった。社会構造のなかの弱者であり、貧困から抜け出すために都会を目指したが、結局はホステスになり性売買にいたる女性の数奇な人生を描いたそれらの映画は、どれも当時としては異例なほど商業的に大成功を収めた。一世を風靡した数多くの映画が「ホステスもの」なるジャンルに分類されるほどで、ホステスが映画のヒロインのキャラクターの一大カテゴリーになった。『ヨンジャの全盛時代』(1973)は同名の原作小説を映画化した作品で、田舎から上京したヨンジャが社会と国家の搾取のなかでついには性売買女性となる姿を描いている。逆説的なタイトルは、ヨンジャが脆弱な階層の女性として経験させられてきた暴力の数々を浮かび上がらせる。1960年代末、ソウルをはじめ各都市の中心街が性売買地域に変化するなか、産業化の周辺で労働者階級の女性たちが性売買へと引き込まれた。林(イム)権澤(グォンテク)監督の『娼』(1997)は典型的な性売買集結地への流入過程を描いてみせる。経済開発に背中を押され、女性たちは都市で働き口と自由とを手にしようと夢見るが、「女中」という名のサービス職と「女工」という生産職労働のあいだで、労働力を搾取され性的にも搾取されて、たやすく性産業へと流れこむ。

韓国の性売買は東南アジアなどと同様、開発途上国の近代化政策と深くかかわっている。朝鮮戦争および南北分断後の廃墟から成長した1960年代の韓国は、自立経済が実現できないため海外市場に向けた戦略を繰り広げた。外国資本に依存した経済構造が強化されたことから何としても外貨が必要となり、技術や資本を投資することなく手軽にドルを稼ぐために観

★11 ルームサロン 第1章脚注★18を参照。

★12 遊興酒店 第1章脚注★13を参照。

光産業を奨励したのだが、その目玉が性売買だった。1966年に交通省が米駐韓援助使節団（USOM）に依頼して作成した『韓国観光』という研究報告書は、料亭（キーセンハウス）が潜在的に影響力のある観光テーマだと提案している。日本人を対象にした本格的なキーセン観光も定着しはじめる。

1965年の韓日国交正常化から1978年までに、日本人観光客は海外からの観光客総数の61・8パーセントへと増加し、うち男性の割合が90パーセント以上だった。1970年代初めに交通省が調査した観光客の嗜好性に関する資料によると、日本人は料亭をもっとも好み、そのキーセン観光は国際的にもよく知られていた。軍事政権は1973年から許可証を発給して性売買のために自由にホテルに出入りできるようにし、夜間通行禁止令とは関係なく営業できるようにした。旅行代理店を通じて海外でキーセン観光を宣伝し、性売買を愛国行為として奨励する発言をした。そうした記録は国会の速記録や新聞記事からも確認できる。日本の海外旅行斡旋業者の広告には「韓国のキーセンパーティー観光団募集」という文言さえ散見される。日本国内では女性たちによる

写真5◉
「キーセン観光反対デモ」を繰り広げた女性運動。テレビ画面の字幕に「80年代まで続いた日本人のキーセン観光　彼らを全身で阻止しようとした人々がいた」。先頭のプラカードは「キーセン観光撤廃」〈出典：「SBSスペシャル」2020年3月8日、著者提供〉

反対の動きも起きるほどだった。現在、韓国の旅行代理店が「皇帝ゴルフ旅行▼10」なる旅行商品を販売し、旅行ガイドブックにおおっぴらに現地の性売買店の情報が載っているのと相通じる話だ。

そんなさなかの1970年代初め、キーセン観光反対運動★13が大きく盛り上がった。1974年に女性団体が共同で開催したキーセン観光反対運動講演会は政府の観光政策を辛辣に批判し、その主催者は当局から監視され脅迫された。ついには「維新★14の課業遂行を妨害する反政府行為」とみなされて連行されたが、その活動は強大国の男性による弱小国の女性に対する性搾取の実態を告発し、軍事政権の女性に対する人権蹂躙について問題提起する契機となった。

人身売買から海外市場まで

1980年代から、性市場は米兵と日本人観光客を中心とするものから、韓国人男性を対象とするものへと徐々に移り変わりはじめた。1980年代にクーデターで政権を握った全斗煥（チョンドゥファン）の第五共和国は、国民の関心をそらすために各種規制を大幅に緩和し、カラーテレビの導入、プロ野球の開幕など遊興・享楽産業の発展に一役買った。「3S（スクリーン・セックス・スポーツ）政策」と呼ばれたこの時期の「経済自由化」と規制緩和は、1980年代以降の性市場の膨張の主要原因になった。第五共和国は朴正熙の第三共和国で行われた特定地域の設置と同じように、淪落女性集中管理地域を設定して淪落女性登録を受け付け、検診結果証を発給して定期的な性病検診を義務化した。

1980年代はソウル市の漢江（ハンガン）以南である江南（カンナム）地区に歓楽街が次々と生まれた時期である。1986年のアジア大会、1988年のソウルオリンピックの開催期間中、韓国のキーセン観光が大々的に宣伝された。一方で性売買業者に女性を供給するための人身売買組織による犯罪が社会問題になったが、性産業の膨張に歯止めをかけることはできなかった。かえって政権は1986

★13 キーセン観光反対運動 1973年に韓国の女性キリスト教者が日本人男性のキーセン観光に対して問題を提起したことをきっかけに実態調査がなされ、女子大生たちが金浦空港で反対のデモをおこなった。日本でもこれに呼応し、女性たちのキーセン観光反対運動がはじまった。

★14 維新 1972年10月に朴正熙大統領は戒厳令を宣布、翌11月に改憲が行われて独裁体制を敷いた。1974年以降は大統領緊急措置を次々と発布して反対する者への弾圧を強めた。これら一連の政策を10月維新と呼ぶ。

年にキーセン観光ですでに名声の高かった11軒の大型料亭に計20億ウォンもの資金を特別融資のかたちで支援し、韓国観光公社の発行する観光客向けの地図にはご丁寧にも料亭の場所が示してあった。

数知れぬ人身売買をめぐる怪しい物語は、当時の人々にとって冗談めかしてささやかれるほどよくあることだった。もっとも代表的な例は、若い女性をワンボックスカーで連れ去って性売買業者に売り飛ばすというものであり、男性の場合はタコ部屋のようなところに奴隷として売られるという。小説『人間市場』[★15]のように性売買や人身売買を素材とした作品が社会批判的な要素を盛り込んでおおいに売れたことが、当時の時代の空気を間接的に示している。新聞の社会面には「求人広告で婦女子誘引、淪落街に500人売り渡した15団体40人摘発、21人逮捕」（東亜日報、1987・10・2）、「誘拐犯は女性を私娼街に連れ込んだ後、まず3、4回にわたってわざと脱出の機会を与え、脱出すると無差別に殴打したり食事を与えないなどして、脱出を諦めさせる手口を使ってきた」（東亜日報、1988・12・28）などの記事が掲載されている。

1990年代には、俗に「ヨンゲチョン［「雛鶏村」の意］」と呼ばれる性売買店に客が列をなした。性売買集結地で10代女性の強制的な性売買が相次いで発覚して社会問題になり、都市郊外や地方小都市にまでチケットタバンが広がって性売買斡旋の温床になった。「インターガール」と呼ばれる旧ソ連出身の女性たちが韓国の性産業へと流入し、韓国企業が進出先の海外に韓国式の性売買店を設けるなど、巨大化した性売買斡旋組織の影響が国内から飛び出して海外にまで拡大した。ロシアの公営放送が韓国人経営の性売買店を批判して「『二次[★16]文化』海外にまで進出か」という見出しで記事にしたこともあった。

1997年にモスクワに韓国人向けの初のカラオケ店がオープンし、現在ではカラオケ店

★15 人間市場 金洪信著。1981年から1989年まで2部20巻に渡り、人身売買と性売買市場を舞台に社会矛盾と主人公の活躍を描く。ベストセラーになりドラマ化もされた。

★16 二次 第1章脚注14を参照。

だけで10数店が営業するほど増えている。これらの店はどこも節税のため現地ロシア人を社長として雇用し、ロシアの飲食業として登録されているが、客の大半が韓国人出張者や観光客だ。人権団体「ロシア女性人権」によると、韓国人客の侮辱的な言動、変態的な性行為の強要などに耐えられずに助けを求めてくる淪落女性も相当数いる。

（『国民日報』、2004・12・17）

警察によれば、金氏らは今年6月中旬頃から3カ月あまりにわたって、東京のあるモーテルで李〇〇さん（23、女性）ら9人の女性従業員を雇用して「クエノ」という店名の俗にいう手引き屋▼22を開設し、淪落を強要したうえで7700万ウォンあまりを略取した疑いが持たれている。捜査の結果、金氏らは女性が逃げられないように旅券を取り上げ、裸体の写真を撮影して新聞・雑誌等に広告を掲載したうえで淪落を強要し、花代のうち60パーセントを食事・宿舎・広告代の名目で搾取したことが明らかになった。

（『聯合ニュース』、2002・10・11）

このままではいけない――「性売買防止法」の制定

2000年9月、群山市大明洞（テミョンドン）の性売買集結地で火災が発生した。市場内の狭い路地にあった簡易宿泊所形式の性売買店だった。この火災で女性5人が部屋に監禁された状態で死亡した。さらに2002年1月には、群山市開福洞（ケボットン）の性売買集結地で二度目の火災が発生した。人ひとりがやっと通れるくらいの狭い通路、窓と出入口は鉄格子で閉め切られ、内と外と二重にカギのかけられたこの店に閉じ込められたまま15人が亡くなった。火災後の捜査の過程で、この店の経営者は豪華な別荘を建てるなど、性売買による不法な収益で莫大な富を蓄積していたことが明らかになった。

これらの事件によって、もはや性売買の現場の深刻さを見て見ぬふりはできなくなり、性売買防止法制定に向けた論議が活発になった。この火災の後、反性売買や女性の人権運動に取り組む人々は大々的な法律制定運動に乗り出し、2002年に発議された「性売買防止法案」は2004年3月22日に「性売買斡旋等行為の処罰に関する法律」および「性売買防止および被害者の保護等に関する法律」として制定され、同年9月23日に施行された。女性団体は性売買が女性の人権に対する明らかな侵害犯罪だとして性売買の斡旋行為者と買春者のみを処罰する法案を主張したが、結局は性売買の被害者については処罰しないものの、自発的な性売買女性は処罰するという最終案が可決された。

「性売買防止法」は人権法でもなく風俗法でもない矛盾した限界を抱えて誕生した。同法が制定・施行されるに当たって「性売買を禁止すると性暴力が増える」、「いたちごっこで潜在的性売買が増える」、「経済が萎縮する」といった激しい攻撃があった。当時の社会的脈絡を考慮するならば、法律の制定だけでも

写真6◉
2002年1月29日の群山市開福洞の性売買店火災事故のニュース。「淪落街火災15人死傷今日午前11時、全羅北道群山市開福洞」〈著者提供〉

大いなる成果といえるものだった。別の言い方をすれば、法律の成立そのものがすでに多くの現実的な限界をはらんで出発したのだ。法律の施行から現在まで、同法の制定意図そのものを問題視したり現実的な成果を過小評価したりして副作用を際立たせようとする主張が、今なおあふれ返っている。

２００４年に「性売買防止法」が発効すると、もっとも大きな打撃を受けたのは専業型の性売買集結地だった。大きな抵抗も集結地を中心に起こった。法律が制定された3月から取り締まりと抵抗とで騒然としていたこれらの集結地の人々をはじめ、施行当日の２００４年9月23日にはソウル市城北区（ソンブク）下月谷洞（ハウォルゴットン）のいわゆる「弥阿里テキサス」に５００人以上が集まって、生計の保障と「性売買防止法」施行の留保を要求する集会を開いた。集会は翌日、大邱の性売買集結地チャガルマダンへと引き継がれ、10月にはソウルの清涼里・龍山・永登浦（ヨンドゥンポ）、水原（スウォン）市、仁川市など首都圏地域はもとより、釜山など全国各地へと広がった。関連業種に従事する女性たちも10月7日、11日、19日にそれぞれ国会前、平澤市、清涼里駅前広場で５００人～３０００人規模の連帯集会を開いたが、これらは経営者が主導して行われたものだ。女性たちは２００４年11月1日に「ハント〔「広場」の意〕女性従事者連盟」という組織を結成した。この「ハント」は、２００２年に性売買集結地の経営者らが結成した全国組織である「ハント全国連合会」のことだ。性売買女性がハントの所属として「性売買防止法」反対集会に参加したことは、経営者とともに動かざるをえなかった当時の状況の表れである。実際にこれらの集会には経営者も参加しており、女性たちは実質的に経営者と同じ主張をするよりほかない状況だったと語っている。２００４年の性売買防止法制定を前後して相談にのった女性たちは、当時「店主との関係で多少は有利になった点もあるけれど、生計の先行きがわからないことで気持ちが重かった」と語った。

一方、国会前の集会を主導していた〔性売買〕女性代表の一部は、ハントの経営者から逃れて「性

★17 韓国女性団体連合 １９８０年代の民主化運動をフェミニズムの視点で担った女性運動諸団体を主体に87年2月に正式結成された進歩系の女性団体の連合体。現在、全国7支部、28の会員団体を有する。

売買防止法」制定運動を主導していた韓国女性団体連合[★17]や女性家族省を訪れた。女性らはハントの立場を離れて、女性団体とともに性売買集結地の女性たちのための自活事業を求める記者会見を開いた。それを契機として女性家族省は、女性たちの代表のいた釜山や仁川で性売買集結地を対象とした自活支援モデル事業を推進した。その後、同事業は全国の性売買集結地へと対象が拡大された。

「性売買防止法」の施行後、性売買集結地はつねに熱い論争の中心だった。禁止主義を標榜して施行された法律だったが、それまで国が管理してきた性売買集結地を一挙に閉鎖することができなかったからだ。政府は2007年までに順次、集結地を閉鎖していく計画を立てた。だが集結地の閉鎖および跡地整備のための実効性ある立法を策定できないまま、一部地域で民間主導の再開発事業のかたちで閉鎖が行われた。大都市の都心や副都心にあった性売買集結地は不動産開発で想像もつかないほどの利益が生まれ、ソウル市の龍山駅前では取引価格が1坪当たり1億5000万ウォンの値がついた。清涼里や下月谷洞も、龍山には及ばぬながらも相当な不動産バブルをもたらした。そんなさなか、集結地の性売買業者は法律によって被害を受けたかのように声明書を発表するとともに、清涼里等の集結地で再開発の利権をめぐって泥沼の争いを繰り広げた。

「性売買防止法」の制定と前後して噴出した反応を見るだけでも、韓国社会の性売買が当時どれほどだったのか充分に察することができる。済州（チェジュ）の業者と議員が「性売買防止法」のせいで済州道の経済が破綻するという声明を発表し、国会議員が「若く貧しい男性はどうすればいいのか」と案じ、「古代ギリシャでは性売買女性は厚遇されたというのに、なぜ性売買に反対するのか」、「性売買に反対する女性団体のメンバーは亭主を奪われまいとする中産階級の中年女」等々、あらゆる誹謗中傷が飛び交い、メディアを飾った。公権力さえも上から目線でとらえていると思えるほど性売買市場に勢いのあった当時、むしろ「性売買防止法」が可決されたことのほうが信じがたいできごとだった。

ある大学教授は、教育の現場で性売買女性とのロマンチックな関係を語りつつ反性売買の意見について「考えが偏狭すぎる」と苦言を呈し、性売買女性のことをよく知っていると自負するある人物は、「花柳病［性病］」にかかった女はどうせ離れられなくて舞い戻ってくると言い、「性売買防止法」は無意味なことに執着していると呆れ顔をした。実際に、現場とはまるでかけ離れたこれらの声が社会認識の標準のごとく受け取られており、この件をテーマにして実のある対話を交わすことはほぼ不可能に近かった。

だが、ここまでひどい乖離があったにもかかわらず、「性売買防止法」はさまざまな意味ある判例を引き出し、女性たちは前払金詐欺を働いた犯人ではなく強要された性売買の被害者とみなされるようになり、性売買によって不当な利益を一方的に手にしているのは性売買斡旋業者と店主だという現実が認識されるようになった。

なお残る問題の核は、そういう者たちの手にする資本と権力だった。性売買を稼動させている市場規模は、これらあらゆる騒動のなかでもびくともしない力を有し、あらゆる領域で性売買を手段としていた。法律が制定されたからといって、その力が消えることはなかった。性売買は違法になり、性売買女性への支援活動は続けられていたが、それでも買春者による女性の殺害事件は頻繁に起き、警察も検察も相変わらずこの市場を規制するより、この市場の協力者だった。

性売買の問題を正しく認知し、実質的に縮小化させていくためには、韓国の性売買をここまで巨大化させ、日常化させた社会構造を把握する必要がある。

SCENE 02

2000年群山、そして変化の始まり

2000年、［全羅北道］群山の性売買集結地で火災が発生し、女性5人が監禁された状態で亡くなった。さらに2002年にも同じことが起きた。鉄格子と二重の錠で閉ざされた狭い店内で15人が死亡した。21世紀の幕開けを前後して発生した群山の性売買店の火災事故が韓国の女性運動に投じた波紋は凄まじいものだった。私たちは性売買の現場で地獄を見た。人身売買と性搾取のための監禁、暴行、拉致といった事件に日常のごとく接していた頃だ。しかもそれを警察や行政が背後で支えていた。群山の火災の真相究明とともに、「性売買防止法」の制定を求める運動が本格化した。韓国女性団体連合を中心に、それまで米軍基地村女性を支援してきた諸団体や宗教界で進歩的女性運動にかかわってきた活動家らが連帯した。各地域の女性運動団体も、性売買の実態調査や「性売買防止法」制定に向けての公聴会などを2002年の主要事業として実施した。

2002年春、韓国女性団体連合の「性売買防止法」制定説明会の際に、運動の中心にいた先輩に会った。私が活動していた大邱地域で実態調査や支援事業に取り組むつもりだと告げると、「足掛かりも経験もないくせに、どうするつもりなの」と先輩から心配された。そう言われた当時は気づいていなかったが、今ならそれがいかに無謀なことだったのかわかる。だが取り組まなければならないことだった。

公聴会や各種のイベント、キャンペーン、実態調査に取り組むとともに、性売買被害女性への現場での支援活動を始めた。「性売買防止法」制定のためのキャンペーンとして大邱の中心市街地でビラまきをしたのだが、わずか数人の活動家で2000枚にもなるチラシをあっというまに市民

に手渡した。切実さと悲壮感の込められたそのチラシには、当時私たちの感じていた怒りがたっぷり詰めこまれていた。その頃準備していた女性週間のイベントのタイトルは「性売買は狂気の沙汰[★18]」だった。

地域で性売買実態調査を始めた当初は、巨大なカベを相手にしているような感じだった。市に情報公開を請求し、周辺の関係者を中心に訪問調査をしながらプランを練っていった。青少年団体で働いていた男性活動家に頼み込み、その友人の社会人3人に「現場への潜入調査員」になってもらった。性教育の講師をしていたことからそれなりに現実を知っていると自負していた私はこの時、この3人の実態調査を記録するなかで、決して越えることのできない男性社会の「性売買文化」の存在を痛感させられた。多くの男性が経験する会食文化と、彼らのあいだで交換される性売買情報について聞かされた。昼夜の別なく韓国男性を支配しているのは、巨大な性売買システムだった。

ある日曜日のこと、大邱の性売買集結地チャガルマダンの業者の金(キム)という男が女性団体の事務所を訪ねてきた。男は、会議のために集まっていた私たちを見渡して「ここじゃあみんな化粧もしねえんだな」と言った。当時のチャガルマダンは莫大な不法収益を上げており、女性は前払金に縛られて人身売買されるなど、今よりもはるかに深刻な状況だった。監禁されて性売買を強要される女性に、警察官が「もう一度借用書を書いて経営者に渡すんだ」などと言ってとりなし、問題

★18　**性売買は狂気の沙汰**　2000年に「今日の作家賞」を受賞して話題を呼んだ李萬教(イマンギョ)の同名小説を映画化した『結婚は狂気の沙汰』が公開されたばかりで、それをもじったもの。セックスと結婚は別物だと公然と打ち出したことが、当時の韓国では衝撃的に受け止められた。小説は未訳で、映画は日本語字幕版が『情愛』のタイトルでDVD化。

になったこともある。チャガルマダンでは業者間で対立が起きて双方が営業妨害しあったり、縄張り争いをする組織どうし暴力沙汰が起きたりといった記事が新聞紙上をにぎわしたが、そうした勢力争いを公権力は対岸の火事のごとく涼しい顔で見逃していた。金という男は同業組合の力に押されて営業妨害を受けていた新規参入業者で、この男の提供してくれた資料はいずれにせよ実態調査とその後の現場支援活動にけっこう役立った。

実態調査をしながら勉強も続け、性売買女性の支援を本格化させた。女性の被害事実について理解してもらおうと警察官にことばを尽くして訴える先輩活動家の姿に感銘を受け、自分からふっかけて警察官と舌戦を繰り広げることもあった。痛ましい現場で実際に何をどれだけ支援し変えることができるのかが、その都度大きな悩みであり挑戦でもあった。チケットタバンの10代の女性から性売買集結地にいる女性まで、それぞれの直面している現実はどれも厳しく危険きわまりなかった。女性たちの相談を受け意見書を書いて同行し調査を受けること、経営者の恫喝や脅迫に対応すること、緊急避難が急がれる女性たちのシェルターを探し連携すること等々を、はたして持続的な事業としてやっていけるのか、ずっと躊躇していた。

2002年9月、ついに先延ばしにしていた決断を下した。そうやって「性売買被害女性救助支援チーム」が結成され、そのためのホットラインを開設した。ホットラインの下4桁は8297(語呂合わせで「急いで救出」)だった。今思うと恥ずかしい限りだが、当時の活動家は真剣だった。

性売買集結地から「抜け出したい」という電話が入れば、協力的とはいえない警察を無理にでも現場に呼びつけてただちに駆け付けた。店主や警察に侮られないための「出動着」を事務所に用意し、電話がくればいち早く出向いた。検察の調査を受けにいって暴力団だという遊興酒店の経営者とエレベーターで鉢合わせしたとき、呼吸が浅くなったのがばれないように努めてまじめな顔で平静を装ったこと、対質尋問の席上で経営者と銭主［前払代行業者］▼15から被害女性を引き離そうと間に割って入って座り込み経営者と真正面からやりあったこと、事あるごとに警察や検察と揉め裁判に入ってようやく判事に勇気づけられたことなど。あの時は必死にならざるをえなかった。

「救助支援チーム」という名称は、あの恐ろしい現場で女性たちと連帯し、私たちみずからをも救い出すためにつけた名前だった。この名称は女性たちを対象化することを避けるために「性売買被害女性人権支援センター」になり、さらに「女性人権センター」へと改称された。名称の変遷は支援活動をする私たちの厳しい苦悩の歴史でもある。

第2章　原注

Ⓐ 朴貞愛(パクチョンエ)『日帝の公娼制施行と私娼管理』、淑明(スンミョン)女子大学大学院史学科博士学位論文、2ページ、2009。
その他にも多くの研究者が植民地期に日本によって朝鮮に性売買がもたらされたことを明らかにしている。それはたんに公娼制度のみを意味するものではなく、遊興業やカフェといった私娼における性売買を含むあらゆる方面の女性接客業の性売買化がこの時期に行われたという意味である。山下英愛(ヨンエ)は日本の軍事文化との密接な連関のなかに根を下ろした日本式性売買が植民地朝鮮でいかにして性売買とは別個に「慰安婦」問題を引き起こしたのかを説明し(『植民地支配と公娼制度の展開』、1997)、宋連玉(ソンヨンオク)は自身の論文で「日帝が女性に関してこの地に残した害毒がふたつあるが、ひとつは公娼制度であり、もうひとつは彼らが封建的な奴隷女性観を維持・延長させたことだ」(『開闢』1946、3月号)という崔正錫(チェジョンソク)の文を引用している(『大韓帝国期の「妓生取締令」、「娼妓取締令」：日帝植民化と公娼制導入の準備過程』、1998)。

Ⓑ 李娜栄(イナヨン)「韓国の『慰安婦』：絡み合う歴史の根と女性たちの新たな挑戦」『国家暴力　女性人権　米軍慰安婦の隠された真実』、2015

Ⓒ 2000年および2002年に起きた全羅北道(チョルラプクト)群山(クンサン)市の性売買店の火災で死亡した女性たちを追悼するために、ほぼ毎年「タンポポ巡礼団」というツアーを組んでいる。巡礼団は、群山市郊外にある「ファンタスティック・ワールド」を何度か訪れたことがある。1969年にアメリカ・タウンとして造成されたその場所は、市の中心部からだいぶ走ると現れる原っぱの真ん中に忽然と、まさに取ってつけたように現れる。鉄製のフェンスで囲まれた街にずらりと並ぶ遊興酒店と女性たちの宿舎からなる大規模宿泊施設、そして真ん中にある性病管理所は見る者を唖然とさせ、さらに巡礼団一行を威圧的に見つめる視線に居心地の悪さはいや増しになる。店の数は増えつづけ、現在も営業中だ。

第3章

市場へと向かった性売買

カネになるマーケット

これまでに収集した性売買の実態に関するあらゆる資料からわかるもっとも大きな特徴は、韓国社会における性売買の市場規模の巨大化と性売買斡旋業者の組織化だ。2004年に「性売買防止法」が制定され、性売買集結地の規模は各地域とも目立って縮小した。だが性売買斡旋業者でもっとも大きな割合を占めるのは、つねに従来型の性売買集結地ではなく、何かのついでに性売買もできるという兼業型に分類される業者だ。

性売買を当然のものとして受け止め、女性の体を展示してショッピングすることを権利と考えるとき、女性による他のサービスもすべて性売買化される。性売買の合法化や非犯罪化を主張する者たちが具体例として挙げる代表的な国の状況も同様だ。性売買を許容するスイスでは、ユニークな業態が次々とつくり出された。2013年には地方政府が街頭で性売買できるように性売買ドライブインを設置し、2016年には「フェイスガール」という業者がドリンクを飲むあいだにオーラルセックスを提供するコーヒーショップをオープンした。この店ではタブレット端末のメニューで、女性とドリンクをオーダーする。性売買が「可」となった瞬間、たちまち「マーケット」が可能になる。そして他のすべての業種と同様に、市場は無限の競争の中で利潤追求に向かって走り出す。

日本帝国主義の植民地期に収奪のかたちとして定着した韓国の性売買は、国家安保や経済開発のための道具となり、やがてマーケットの表舞台でぐんぐん成長した。マーケットの観点から見た韓国の性売買は、需要も多いが競争も相当のものだ。カネになることから大手の暴力団から町のチンピラまで、何人か集まれば考えつくのは性売買営業だ。このマーケットも他の分野と同様、大きな資本を持つ者に有利だ。高級歓楽街のソウル江南(カンナム)地区にフルサロン▼29数店を維持できる資本ともなれば、取り締まりも経営者の胸先三寸だ。女性に対する統制も、店の宣伝も、組織的に行われる。営業や取り締まり対応といった業務を任された「雇われ」社長が数人、その配下に手足となって働く部長級も幾人か、実際に女性を引き連れて斡旋して歩くマネージャーやマダムがおり、クソ客▼08の対応をしたり使い走りをしたりする用心棒まで、大企業並みの運営システムを有している。「何人もの女の子をうまく使いこなして巨額のカネを儲け、大手業者の社長になってふんぞり返る」という夢を抱いて仲間とキスルーム★01を共同経営する連中、チケットタバン(茶房)▼17を開業する連中、そこまでの持ち合わせがなければ、安ホテルを転々としながら脅迫やグルーミング性犯罪★02で手なづけた10代女性を使って性売買を斡旋し金儲けをする。

そのうえ国の政策によって設けられた性売買市場は、公権力との結託を生む。性売買斡旋業

★01 キスルーム 第2章脚注★02を参照。

★02 グルーミング性犯罪 第1章脚注★11を参照。

者と公権力の根深い癒着・腐敗は性売買市場の本質的な性格に起因するが、韓国的な状況では性売買斡旋組織の巨大化とも密接な関係がある。桁外れに膨れあがった経済が権力を生み、その権力が公権力さえも配下または共謀者にしてしまうのだ。警察官も、この「おいしい」ビジネスに仲間入りしたくて経営者と友だちになり、投資家になり、ついには自分も経営に乗り出す。検察は、スポンサー役を買って出る大手業者の助っ人となる。

景気のいいマーケットが多角化し飽和状態になるのは、当然の流れだ。そうしたマーケットと構造の問題を欠落させたまま性売買の問題を個別・単発の事案として扱い、関連する論議をじわじわと縮小させていくこともまた、このマーケットが確かな後ろ盾とパワーを持っていることの反証である。巨大規模の性売買市場は私たちの日常を支配する。そのことに対する価値判断さえも市場側の工作と扇動とに左右されている。2011年、慶尚南道昌原市の手引き屋▼22で働いていた20代前半の女性が買春者に殺害された。追悼式に集まった女性団体の活動家や会員たちのすぐ近くで、式の始まる前から経営者らが陣取って妨害しようと拡声器で音声を流していた。追悼式に参加した男性会員が献花のために歩み出ると、経営者らは「おまえら、こっちに来いよ」と挑発した。業者の望む世の中は、すべての男性が買春者でいられる場所なのだろう。

韓国の成人男性の半数以上が性を買った経験があるという統計資料からもわかるとおり、性売買の斡旋構造が巨大で、韓国のどこを探しても性売買の存在しない場所をみつけるのが困難なほど買春は日常的な経験になっている。また、権力と結託した性売買構造は、買春という行為の正当性を絶えず提供し、男性ならば社会生活のために、個人の欲求を解消させるために、当然していいことなのだと認識させてきた。その結果、多くの男性がそれを選択の問題ではなく、男性として生まれたからには通過しなくてはならない経験であり与えられた権利だと思うようになった。

この「買春」はまた男性どうしの経済格差を浮き彫りにさせてそこに疎外を生む。自分が当然享受すべき権利だと思いこまされた男性は、「商品」たる女性に向かって怒りの矛先を向ける。だが、この不当な感情を本来振り向けるべき標的は、実はわが国の歴史が作り上げた巨大な性売買市場、そしてそれと結託した腐敗した権力なのだ。韓国の性売買問題の核心はまさにそこにある。

性売買市場の「業者」たち

性売買斡旋者およびその関係者は、女性と疑似家族のように構成されている場合が多い。呼び名も父さん、叔父さん、叔母さん、兄さんなどと呼び合い、労使の境界があやふやだ。私がはじめて法律支援をした女性は、20歳になったばかりのAさんだった。Aさんがどんな目に遭ったのか理解するために、私はAさんの書いたA4用紙10枚ほどの陳述書を繰り返し読んだ。被害女性の法律支援に取り組む際は、女性たちが性売買に手を染めたときから現在の被害までを陳述書に書いてもらう。支援を求めるきっかけとなった事件は最近起きたことだとしても、その被害は本人が性売買に手を染めた段階からすでに始まっているからだ。そしてその過程を理解せずして現在の状況、抱えている前払金が、いかにでっち上げられたものなのかを知ることはできない。

性売買女性の直面する詐欺事件の要点は、前払金だ。たいていは最後の業者が前払金の返済を請求して女性を告訴するのだが、前払金は女性が性売買の世界に足を踏み入れたときからの不当な取引が積み重なって膨れ上がり、金額に見合うだけの所有権を業者は女性に対して主張するのだ。店を逃げ出してからAさんは10代の若者たちが利用するシェルターに入所し、資格取得や就職に向けて勉強していた。だが、業者に見つかるのではないかと恐れて、社会生活を送ることに消極的だった。Aさんの話から私は多くのことを学んだ。そしてその後に出会った無数の女性たちからも数々のことを学んだ。

はじめて出会った2002年、Aさんは詐欺罪で起訴中止★03の状態だった。継母の虐待と父親の暴力に苦しめられて中学2年生で家出したAさんは、最初は友だちの家を転々としながら焼肉店で働いた。だが、子どもだからと侮ってまともな賃金を支払ってもらえず、小ばかにした態度を取る客もいたため、長続きしなかった。友だちの家で過ごすのも限界だと思われた頃、未経験でも宿舎と食事を提供してくれ、高収益を保証するという食堂の広告を生活情報誌で見かけて訪ねていった。座布団屋▼14だった。その頃はまだ座布団屋、麦洋屋(ビール)▼28と呼ばれる店は一般飲食店★04として許可を受けて営業していた。どの地区にも有名な座布団屋が軒を連ねる路地がいくつもあった。経営者は働きながら仕事を覚えればいいと言ってAさんを安心させ、宿舎で何日か休んでから始めようと言った。美容室につれていき、衣装と化粧品を買い与えた。Aさんは親切な経営者に感謝し、きれいに着飾った自分の姿が気に入った。だが、やがて始まった「仕事」は、Aさんにとってあまりにも大きな衝撃だった。経営者と交渉を終えた客と席に着くと、「お姉さんたち」は服を脱ぎ、テーブルに上がって「ショー」なるものを演じた。基本は2時間で酒を飲み、ショーをし、挿入までだった。最初は親切だった経営者も、ちゃんと働かないといって叱りつけ、店のママは不愉快なことがあるたびに悪態をついた。酒を無理して飲むのも、客の気分に合わせるのもつらかった。店に入った当初の「親切」はまるまる借金として残った。仕事を続けていくあいだも宿泊、美容、衣装など生活に必要なすべての費用は借金になった。

私は最初、Aさんの話がよく理解できなかった。稼ぎは多いのになぜ借金が際限なく増えていくのか。内部のシステムは、外の世界で常識として通用する計算法とは違っていた。30日間仕事をこなさなければ稼ぎは認められず、1日でも基本のテーブル[遊興酒店によるが、2時間、お酒数本、おつまみ、女性のサービス(で定められた金額)]を埋められなければ、その日は計算から除外される。前払金を受け取っているなら、まずはそれを返済しなければならないため給与から天引きされるが、それ

★03 **起訴中止** 検察事件事務規則第73条の規定により、被疑者の所在不明等の事由によって捜査を終結することができない場合に、事由が解消されるまで起訴を中止すること。

★04 **一般飲食店** 食品衛生法施行令第21条第8号ロによって「飲食類を調理・販売する営業で、食事とともに付随的に飲酒行為が許容される営業」と規定された業態。

だと生活費が不足してまた仮払いのかたちでカネをもらい、そうやって一種の借金がどんどん積もっていくのだという。店を変われば、さらに紹介料や各種必要経費が発生して借金となる。Aさんが店から逃げ出してシェルターに入ったのは19歳のときだったが、そのころにはAさんはすでに店の「トップ」として客引き役まで任されていた❹。

Aさんの陳述書からその経験をたどっていく作業で特にたいへんだったのは、人物の特定だった。陳述書には無数の「叔母さん」や「叔父さん」が登場した。店を変わるとき、叔父さんが他の何人かの女性と一緒にここにいるんだといってAさんを安ホテルの1室に連れていった、それから叔父さんが借用書の念書を取っていった……等々。何人もの叔父さんや叔母さんがさまざまな役割を担っていた。斡旋業者が10代の性売買女性に家族を模した呼称を使うのは、もちろん統制しやすくするためだ。「この叔父さんがあんなによくしてやったのに」、「母さんに向かってそんな態度を取るのかい」、そう言って店を抜け出そうとする女性たちに罪悪感を持たせるのだ。

18歳で知的障がい3級のBさんは、相談にきて警察の調査を受けながらも、ずっと経営者の妻のことを心配していた。「姉さんが妊娠中なのに、私のせいで何かあったらどうしよう」と、つねに「姉さん」の心配をしていた。Bさんは働かせてやると言われて会った紹介業者にして手引き屋の30代の経営者から性売買するよう強要された。経営者本人から性的暴行と性搾取に遭い、経営者の妊娠中の妻と同居させられていた。だが、従兄につき添われて裁判に出廷したBさんは、経営者にやらされたのではなく、自分がやりたくてやったのだと証言した。裁判の始まる前にシェルターにいたBさんを連れ出したBさんの家族が、経営者と合意した結果だった。Bさんの「家族」は、Bさんの被害を過去のものではなく現在進行形にしたのだ。

利潤のネットワーク――斡旋カルテル

性売買斡旋者。「抱主」とも呼ばれる手合いはいったい何者なのか。

世の人々は漠然と店の支配人、つまり常駐している管理人を性売買斡旋業者だと思い、それを単一の主体として想定する。だが「売買」に焦点を合わせてシステムを詳細に見ていくと、性売買取引の組織ではさまざまなタイプの業者が細分化した役割を受け持っていることがわかる。性売買女性の家族がみずから斡旋したり、管理人の役割を担っていることもある。実の父親、夫、恋人という関係を利用して実の娘、妻、恋人に性売買をさせているケースが、女性たちの証言や記事からしばしば明らかになる。

たとえば２０１７年に社会を騒然とさせた「オグムニアッパ［「奥歯の父さん」の意］」事件★05がある。未成年の娘の友人を残忍に殺害した犯人の男は、それ以前から妻に性売買をさせ、その場面を盗撮した容疑をかけられた。事件発覚当時、妻はすでに自死した後だった。性売買の斡旋に直接、間接にかかわっている者たちは、性売買女性とさまざまな関係で複雑につながっている。身近な女性に性売買をさせて利潤をだまし取り、性売買から抜け出せないように封じこめる分厚い壁となり落とし穴となる。

性売買女性を取り巻いてその利益をだまし取ろうとする者たちは、ネットワークで緊密につながっている。ひとりの性売買女性に会って性売買から抜け出させるべく支援していくうちに、その周りを幾重にも取り囲んでいるさまざまな役割の抱主に行き当たる。性売買は、脆弱な階層に属する「人間の体」をコントロールしてカネをもうけようとする行為だ。そしてそれを可能にするために、必ずそれ以外の不法な犯罪行為が伴う。女性たちの自由な移動は性売買の営業利益に打撃を与え、店や女性たちを対象として生態系を形成する者たちの収益構造に揺さぶりをかける。

★05　オグムニアッパ事件
幼少時に家族性巨大型セメント質腫という顎骨の腫瘍を発症して5回の手術を受け、奥歯1本しかそのため女性が店から逃げ出して店主に楯突くことになれば、この「商売」に利害関係のある全員が利益のために共謀する。そこに加担する抱主や斡旋構造のなかにいる者たちは、実際に店を運営する店主以外にも、資金を投資する銭主［前払代行業者］▼15から貸金業者、紹介業者、整形外科の医師に至るまで実に多様だ。性売買を「可」と認識する社会は、こうした生態系構造をいっそう強固にし、利益の最大値を目指して進化する。

2000年代初め、前払金詐欺事件には債権を主張する告訴人が1件当たり5人も名を連ねていたこともあった。経営者、サラ金業者、衣装販売業者、化粧品訪問販売業者、クリーニング店の店主まで、警察署で私たちを待っていた。必ずしも告訴までしたいとは思っていない者もいたが、女性をビビらせ、警察や検察に女性を犯罪者として認識させるために、集団で行動するよう求められていた。遊興酒店★06集結地の関連職種に従事する女性たちの宿舎となるワンルームマンションが混在している場合、そのマンションの大家も経営者と共犯関係にある。女性たちが店を出て荷物を持ち出すためにマンションに立ち寄れば、大家が待ちかまえて阻止することもある。大家は経営者に代わって、その利益と足並みを揃えて行動する。店主に楯突く女性を激しく威嚇し、店に残る他の女性たちの見せしめになるよう店主に加勢する。

ある性売買集結地の産婦人科医は、ひとりの性売買女性に20回以上もの妊娠中絶手術をし、集結地の女性たちを対象に診療もせずに無断で抗生剤等の注射や投薬を繰り返していた。そうした違法な医療行為を続けて30年目にしてようやく処罰された。性売買女性専門に強力なダイエット薬とうつ病の薬を同時に処方し、もっと頑張って働けと焚きつける医師もいる。それらすべては女性たちの証言によってわかったことだ。女性たちはそういう医師が自分たちを利用しているだけだとわかっていたが、性売買をしているうちは言いなりになるしかなかったと証言している。

韓国刑事政策研究院の研究によると、大多数の暴力団が風俗店を直接経営しているか、みかじ

残っておらず、娘も生後6カ月で同じ病気と診断されて14歳までに7回の手術を受けた。そのエピソードと子煩悩ぶりがテレビ番組で紹介されたことから奥歯の父さんを意味する「オグムニアッパ」として知られ、巨額の治療費と貧しい暮らしぶりに視聴者から多くの寄付が寄せられた。事件の捜査および裁判の過程で当時中学2年生だった娘を共犯者にして及んだ強制性交および殺人死体遺棄事件の全容のみならず、幼少時からの性犯罪を含む各種犯罪の状況、妻との関係、妻の死亡の状況、性売買斡旋業、生活保護費および寄付金の詐取、さらに各種犯罪に加担した親族や友人の状況などが次々と明らかになった。裁判の結果、無期懲役刑が、未成年の娘は懲役4年から6年の不定期刑が確定した。

★06 遊興酒店 第1章脚注★13を参照。

めのかたちで風俗店に関与しており、暴力団の代表事業が「風俗店の運営」という場合もある。特に風俗店が暴力団の代表事業の場合、大半が一般市民から投資を募って運営されていたが、これは風俗業が表向き合法な事業だから可能なのだ。さらにそういう風俗店では、現金取引・携帯電話での連絡・課税資料を残さない酒類取引・第2種遊興業★07としての登録といった手口による脱税、偽造酒製造、性売買斡旋など、多種多様な方法で不法な収益を生み出している。同研究は、風俗業に対する規制を強化するより、違法な収益を生む行為に対する取り締まりを強化するほうが効果的だと分析している🅑。

また、単にこうした組織を裏で支えたり接待を受けたりするだけにとどまらず、みずから店を経営して発覚する公務員もいる。ここ数年でも市の公務員が手引き屋▼22を営んで性売買を斡旋したことから罷免されたし、教育環境保護区域内で不法なキスルームを経営してきた現職警察官が摘発されている。根強い人気職業として猫も杓子も公務員試験に挑戦していた時代、当の公務員がやっと就いた仕事を失うことも恐れずに、性売買事業と二足の草鞋(わらじ)を履いていたことは何を意味するのか。性売買の斡旋が相応のリスクもいとわないほどカネになり、権力になり、しかも取り締まりや処罰はろくに行われていないという事実を誰よりも公権力に身を置く当人がよく知っていたということだ。「性売買防止法」が制定されて十数年たった現在までも、公権力が性売買斡旋行為を庇護し主体にさえなっている現実は、実に多くのことを示唆する。

あらゆる職業の者たちが性売買の斡旋に乗り出すのは、手軽に多くのカネをもうけることができ、処罰を恐れなくてもいいからだ。数多くの個人や専門職の人々が元締めと共謀し、暴力団から現職公務員に至るまで性売買でやすやすと利益を上げている。一方ではサラ金業者が、もう一方では巫堂(ムダン)★08が性売買をそそのかす。韓国社会のあらゆる場所でそういう者たちが性売買の斡旋にそれぞれの権力を用い、そうやって富を蓄積している。

★07 酒類取引・第2種遊興業 法的根拠のある分類ではなく、ランク付けのようなもの。第1種が女性接客員を置く遊興酒店、第2種が女性接客員を置かない団欒酒店。第3種が俗に座布団屋などと呼ばれる店。後述「遊興接客員とは何か」の項参照。遊興酒店は第1章脚注★13、団欒酒店は第1章脚注★17、座布団屋は用語辞典をそれぞれ参照。

★08 巫堂 神と交信して口寄せを行う伝統的なシャーマニズムの巫女。現在でも珍しい存在ではなく、悩みごと相談や吉凶判断などに利用する人は少なくない。

遊興という産業

第3回済州（チェジュ）4・3平和文学賞受賞作『コメント部隊★09』に登場する女性たちはすべて補助的役割にとどまっており、しかも同じ職業群に属する。女性たちがいるのはつねにカラオケ、テンパー▼24、点5▼23、上流層の集う密室であり、ときには男性の要求によって自宅や野外のどこかに呼び出されることもある。低料金で充実したサービスを提供する中年女性から、傲慢さをある種のコンセプトにうたう若い女性、上流階級のみを相手にする芸能人並みと描写される女性までそのタイプはさまざまだが、女性たちはおしなべて男性社会の連帯と共謀のための現場で、男性の遊興と接待のために存在する。男性が女性たちに望む主たるサービスは性売買だ。韓国の地で性売買女性の存在しない遊興と接待は、むしろ非主流だ。

こうした男性たちの遊興は大衆文化を介して無数に再生産されて日常のものとなる。ヒットした映画『インサイダーズ／内部者たち』（2015）、『ベテラン』（2015）をはじめ、韓国の現代社会を描く多くの映画で、風俗店は事件にかかわるきわめて重要な場所として登場する。そこで男性たちは互いの権力と連帯を確認しあうが、大事な会話を交わす際には同席する接待女性の姿が繰り返し背景に映り込む。現実のニュースでも、堕落した権力の介入する事件や事故にそれらの場所はきまって登場する。

社会評論家・康俊晩（カンジュンマン）の著書『ルームサロン共和国』（2011）のサブタイトルは「腐敗と享楽、徒党の要塞、密室接待65年の記録」である。同書は植民地解放後の政治の混乱期からこのかた、「料亭」から「ルームサロン★10」へと名前を変えながらもそっくり受け継がれてきた接待文化の系譜を描く。同書の第3章は「『ルームサロンが法廷』の国」と題して韓国の1990年代を解剖する。

2010年4月20日から3回にわたり放送されたMBCテレビのドキュメンタリー番組『PD手

★09 コメント部隊 張康明著、2015年刊。「済州4・3平和文学賞」のほか「今日の作家賞」も受賞した。ネット上の各種レビュー、コメントを通して世論操作を請け負う専門業者の暗躍を描くサスペンス小説。2018年には舞台化された。2021年12月現在日本で未公刊。

★10 ルームサロン 第1章脚注★18を参照。

帖』の「検事とスポンサー」シリーズも、性接待の実態を事細かに告発している。20年あまりにわたって検事のスポンサーだった事業家の証言に触発されて事件について取材し番組を制作したプロデューサーは、不本意なかたちで番組を降板させられた。事件にかかわった証言者と取材記者は番組放送の1年後に『検事とスポンサー、埋もれた真実』（2011）という単行本を出版した。当時は仰々しく「真相究明委員会」が組織されたが、結局は「真実の隠蔽に身命をなげうった」格好になってしまった。その後も、登場人物の名前が入れ替わるだけで、タイトルと内容はそのまま使い回しできるほど酷似した事件が繰り返されている。

韓国における遊興と接待は、性売買を日常に持ち込むもっとも大きな土台だ。2013年に韓国刑事政策研究院の実施した全国性売買実態調査によると、性売買斡旋業者の推定総数は4万4804カ所、うち遊興酒店業が1万2654店だった。遊興酒店業が性売買を斡旋する割合は42パーセントだが、女性たちの証言や一般市民の認識を参照すると、遊興接客員を置く店は「二次」★11なる手法で性売買のできる場所に通じている。法的には遊興酒店の許可を受けずにコンパニオン等を呼んで営業するカラオケや団欒酒店★12も、性売買可能店と見なしていい。女性の提供する接待等のサービスには性売買も含まれるというのが、むしろ常識として通用しているのだ。

遊興と接待に代表される韓国の性売買産業の規模を推定するのは、

写真7◉
韓国ドラマ『ミセン』「ルームサロン（遊興酒店の一種）での性接待」の場面。〈第8話、tvNで放送〉

★11 **二次** 第1章脚注★14を参照。

★12 **団欒酒店** 第1章脚注★17を参照。

いくつかの数値を比較することで可能だ。２０１２年に公開された企業の接待費支出額の推移は、景気の沈滞にもかかわらず逆に上昇しつづけ、２００６年に5兆７４８２億ウォンだったものが２０１１年には8兆３５３５億ウォンになったⓒ。２０１４年に放送されたテレビドラマ『ミセン』で、営業チームの社員は契約獲得のために最高級の遊興酒店を予約し、接待女性まであらかじめ依頼して「ベスト」を尽くす。もちろん二次としての性売買のお膳立てまで含まれる「ドラマでは性接待しない結末」。企業における接待は「立場の弱い側」が「強い側」に対して行うものであり、企業活動の必須アイテムのごとく定着しており、「検事とスポンサー」がそうだったように、中小企業が大企業に、企業がお役所に貢ぐかたちを取り、不当な取引の日常的な手段となる。そしてそこで公然と取引される商品は女性である。

法律支援を行うとき、性売買女性の店が大規模ルームサロンの場合は他の業態の風俗店からの脱出より緊張を強いられる。規模が大きく料金の高い遊興酒店の多くは、そこを利用する客が店の味方だ。彼らは法律を恐れない。２０１５年末に全羅（チョルラ）南道麗水（ヨス）市の遊興酒店で働いていた女性が店主に殺害されたが、その店の客には市の職員や警察幹部がいた。遊興酒店は性売買斡旋業の大半を占める代表業種だが、警察は大規模な遊興酒店の捜査をもっともやりたがらない。資本にものをいわせて地元の大物として振る舞い、同業者協会のような経営者の寄り合いの力で権力層とのつながりを誇示する彼らを本気で捜査するなど、現在の警察システムに期待するのはどだい無理なのだ。遊興酒店の性売買は権力と色濃く結びついて企業化・大規模化しており、遊興酒店の合法的営業という名分のもと、性売買の斡旋行為は隠蔽される。

遊興接客員とは何か

遊興酒店は、レベルに応じて第1種（高級ルームサロン等）、第2種（カラオケ型飲食店）、第3種（いわゆる「餅屋」、「座布団屋」などと呼ばれる麦洋屋)に分類される。営業形態は少しずつ違うが、遊興接客員の役割は同じだ。ただ高級か廉価版かという分類によるランクの差別化があるだけで、女性たちは同じサービスをしている。分類とは関係なく遊興酒店において遊興接客員が「遊興」のために行う「仕事」とは、酒の酌をするテーブルサービスから、初見世(胸や性器を見せること)、ピアノ弾き(女性の内股への愛撫)、チークダンス(第3種ではヌードショーが含まれることもあり、カラオケ店でもチップによっては可能)、ハグにキス、挿入セックスまでさまざまだ。提供されるサービスは親密さの表れではなく、「仕事」として行われる身体接触である。「渓谷酒★13」、「月経酒」、「勃起酒」といった名称からもわかるように、酒を飲む行為にも対象化された女性の身体が含まれる。

一般的にドラマやテレビ番組で見られる遊興酒店は、第1種に分類されるルームサロン、ビジネスクラブの様子だ。だが実際には第2種や第3種に分類される店のほうがはるかに多く、それらの店は安くて「大胆な」サービスを売りに、店そのものへの投資を抑えて収益を上げる業態だ。それらの店は、もっと露骨な表現で「性的奉仕」を宣伝する。「三千宮女が常時待機」、「酒+女狐+仕上げ(個室で性売買までできるという意味)」といったコピーから、最高の女性を探して献上する「採虹使(チェホンサ)★14になりましょう」まで、遊興接客員がいかなる仕事に従事する職種なのかを赤裸々に示している。小説『コメント部隊』には、遊興酒店の個室やトイレで男性が女性にオーラルセックスを命じて、精液を飲ませるシーンがある。そしてそれは私が活動家として耳にしてきた、嘘偽りない現場のありのままの姿だ。

韓国の法律は、こうした女性たちの存在を明文化している。「食品衛生法施行令」には遊興従事者を置くことのできる施設として「遊興酒店」を規定し、「『遊興従事者』とは、客とともに酒を飲み、または歌もしくは踊りで客の遊興を盛り立てる婦女子である遊興接客員をいう」となっている(第22条)。韓国社会の独特な営業形態であり、いわゆる「ルームサロン」に代表される遊興

★13 渓谷酒 女性の裸体を渓谷に見立て、股間と太ももの間のくぼみに酒を溜めて飲む行為。日本の「わかめ酒」に同じ。

★14 採虹使 暴君として知られクーデターで廃位させられた朝鮮第10代王燕山君(在位1494~1506)の時代に、美女と優秀な馬を求めるために地方に派遣された官吏。

酒店は、遊興と接待のための代表的な空間である。保健福祉省の「性媒介感染病および後天性免疫不全症候群の健康診断規則」は、食品衛生法の遊興接客員およびチケットタバンの従業員、按摩施術所▼01の女性従業員を対象としている。対象者は梅毒、淋病といった性病を他人に感染させるおそれのある者として、定期検診を受けることが義務づけられている。

【表1】性媒介感染病および後天性免疫不全症候群の健康診断規則【改正2013・3・23】

性媒介感染病および後天性免疫不全症候群の健康診断の対象者および健康診断の項目ならびに回数（第3条関連）

	性媒介感染病および後天性免疫不全症候群の健康診断の対象者	健康診断の項目および回数		
		梅毒検査	HIV検査	その他の性媒介感染病の検査
1	「青少年保護法施行令」第6条第2項第1号による事業所＊の女性従業員	1回／6カ月	1回／6カ月	1回／3カ月
2	「食品衛生法施行令」第22条第1項による遊興接客員	1回／3カ月	1回／6カ月	1回／3カ月
3	「按摩師に関する規則」第6条による按摩施術所の女性従業員	1回／3カ月	1回／6カ月	1回／3カ月
4	特別自治道知事・市長・郡知事・区長が不特定多数を対象に性媒介感染病および後天性免疫不全症候群を感染させるおそれのある行為を行うと認める事業所に従事する者	1回／3カ月	1回／6カ月	1回／3カ月

＊　休憩飲食店の営業であって主に茶類を調理・販売する営業のうち、従業員に事業所を離れて茶類等を出前・販売させつつ所要時間に応じて対価を受け、またはこれを助長もしくは黙認する形態で運営される営業

国家が直接公娼を管理しつつ性売買を認めた旧時代の遺物を、私たちは今なお抱えている。「特殊業態婦」と呼ばれる性売買集結地の女性への公式の性病検査は２００４年の「性売買防止法」によって廃止されたが、【表1】の4からもわかるように、「おそれのある行為」を行うと認める事業所に従事する者に対しては国家が性病検査を実施するよう定めており、一部地域では今なおこうした「管理」が国家によって行われている。もちろん、どうせ性売買をするんだから検査したほうが安全だと強弁する者は多い。だが国家によって「性売買女性を対象とする性病検査」が実施されるという事実が何を意味し、その性病検査とははたして誰のためのものなのか。

関連する条項で「婦女子」のみを遊興接客員と称するのは前近代的で性差別的だという理由で、２０１１年に保健福祉省が「婦女子」を削除する改正案を提案した。同年、女性家族省は『遊興酒店営業の遊興従事者の実態研究』を行なった。実際の事例を分析して遊興従事者関連法の規定と改善策を検討したこの研究は、性売買を根絶して遊興文化を健全なものに位置づけるためには接客員を置かない「発想の転換が必要」だが、「食品衛生法から遊興接客員を削除することが理想的な案とはいえ、実現の可能性はほぼない」ように思えるとし、「遊興接客員を男性にも拡大する方策は理念的には同意できないが、実質的に必要な案」だと結論づけた。

当時の李明博（イミョンバク）政権は、「ホストクラブ等の営業を既成事実化する根拠になりうる」として男性も遊興接客員に含める案に反対した。統計庁の２０１１年の発表によると、「全国の風俗店で働くホステス、ウェイター、バンドマン等の遊興業従事者は13万９９０４人、その1年間の賃金の支給総額は1兆９１５１億５０００万ウォンだったことが明らかになった」という。

植民地期に遊廓とともに持ち込まれるまで、遊興接待は明らかにわが国の伝統にはなかった。こうした接待のやり方は、ともすれば韓国経済が対外依存的だった長い期間、強者に振り回され、外国勢力にひれ伏した大勢の人々の味わった傷だっただろう。だが１９８０年代以降の独裁政権は、自分たちの政治的腐敗を覆い隠すために「これからはおまえらも楽しんでいいんだ」とささやき、その時間を経て現在の韓国の一般男性は性搾取の主役になり共謀者になった。

接待共和国——根の深い腐敗

性売買女性が自分たちの被害を公表し、斡旋業者らを告訴しようとする際にもっとも恐れるのは、公権力への不信感、つまり店主らが警察や法律さえ自在にあやつれると思っていることだ。実際に経営者らは女性たちに、日ごろから自分たちが公権力と近いことを誇示し、取り締まりや処罰などいつでも逃れることのできるコネがあると脅す。女性たちを統制するための恫喝めいた発言にすぎない場合もあるが、店主らの上納や賄賂にかかわる事件は、現実に相次いで起きている。ビジネス上の接待で性売買を提供する日常の腐敗は性売買業者の資本となり権力となり、そこで与えられたパワーがさらに性売買産業の基盤を固めるのだ。そうやって根を下ろした巨大な性売買産業に公権力がますます絡め取られ、この産業は限りなく堅固になっていく。

権力型の不正としての性売買事件は、その系譜を羅列するのもたいへんなほどつね日ごろからニュースに登場する。ギャングでも暴力団でもない大統領その人が料亭で暗殺される悲運［1979年10月に起こった側近のKCIA部長による朴正熙大統領射殺事件を指す］に見舞われた韓国の歴史は、権力者の腐敗と性売買とがワンセットでスキャンダラスに綴られてきた。

2004年に「性売買防止法」が制定された時期に、女性たちの証言から幹部級公務員の性売買や接待にかかわる不正が表沙汰になりはじめた。そのとき証言であらわになった権力と性売買の癒着は、第一線の警察官から最上位クラスの公務員に至るまで、また司法、メディア、政界まで、職階も分野も問わず広がっていた。その頃、政界の権力者として知られた人物と関係があるといわれるルームサロンで働いていた女性たちの被害を公表するために、記者会見を開いたことがあった。

女性本人が出席し、某機関の複数の公務員が接待を受けて性売買をした事実と、経営者による暴行などについて証言したこの会見には、記者たちも熱い関心を持って集まった。ところが、集まった記者たちの関心は「ひょっとして自分の名前がリストにあるのでは」という点だったという後日談を、別の記者から聞かされた。

「2008年から2012年9月までに賄賂、飲酒、性売買等で摘発された公共機関の元役職員の犯罪は556件」、「国土交通省傘下の機関がルームサロン・按摩施術所の利用に会議費を支出」、「勤務先の大学の資金を着服して江南のルームサロン通い、26億ウォンを使い果たした大学教員を逮捕」といった事件は、もはやたいして驚くほどのことではない。2008年9月に全国の警察が「性売買防止法」施行4年を迎えて大々的な性売買の取締りに乗り出した際、光州（クァンジュ）警察庁のトップが「取り締まりだけが能じゃない」とし、「性売買の店を取り締まった結果、性病の管理がたいへんになった」、「結婚前の男性の性的欲求を抑制するのは現実的に無理がある」と発言した。2009年4月には警察庁長官姜熙洛（カンヒラク）(当時)が記者会見の席上で「自分も広報官の頃は記者にずいぶんモーテルを世話した」、「性売買は運が悪けりゃ引っかかる」と発言したことが書きたてられた。政界・メディアと性売買業者との特別な関係とともに、特に司法の腐敗は実名まで取り沙汰され、世論を賑わした。そしてこうした司法、特に検察関連の性売買にかかわる不正事件は、ほとんどまともな処罰や改革がなされることなくいつしか立ち消えになってしまった。

法の執行機関と性売買斡旋組織の癒着は、たんに腐敗した個人の問題ではない。癒着の連鎖は内部の正義感あるひとりの力では浄化できないほどに組織化している。この問題は2012年の初め、「ルームサロンの皇帝事件」で検察と警察の軋轢のさなかに露呈した。「ルームサロンの皇帝」と呼ばれたイ・ギョンベクは江南一帯で十数店のルームサロンを経営していた業界の大物で、2010年に42億ウォンを脱税し、未成年者を雇用して類似性行為をさせた容疑等で逮捕、起訴された。その後、裁判の過程で収賄警察官のリストを検察に提出し、関係する警察官数十人と億単位の収賄額が明らかになった。だがそれに対して警察庁長官趙顕五（当時）は「捜査班がただちにイ・ギョンベクを緊急逮捕したが、検察が承認しなかったのでしかたなく釈放した」とし、「家宅捜索、通信資料の開示請求令状などもすべて検察が棄却した」と主張した。イ・ギョンベクが「裁判所や検察にも太い人脈のあることを誇示した」と趙長官は付け加えたが、イ・ギョンベクは収賄警察官のリストを検察に提出した後の控訴審で、一審の「懲役3年6カ月、罰金30億ウォン」から「執行猶予5年、罰金5億5000万ウォン」へと大幅に減刑されたⒹ。

一方、慶尚北道浦項市の風俗店では2010年7月7日から2011年6月までの1年ほどのあいだに、8人の女性が相次いで自殺する事件があった。2010年7月、数日のあいだに3人の女性が続けざまに自殺した際に、担当する警察の部署を訪れた。女性たちの死がきわめて典型的なものだから、店による性売買の強要や前払金等について調査を徹底してほしい旨を要求するためだった。だが担当班長は私が席に着く前から怒気をあらわにし、店主のほうが被害者だと声を荒らげた。遊興酒店はどこも性売買の店ではなく合法的な店であり、女性たちの死によって営業に支障をきたして大損害をこうむったのは店のほうだというのだ。事件が性産業内部の搾取構造によるものだったことは企画記事Ⓔにまでなって明らかだったが、警察は遊興酒店の店主らの主張どおり個人的な債務問題としてこれを処理した。

真実が明らかになったのは、死んだ女性たちの遺族と女性団体が苦しい闘いを続け、事件から1年たってからだった。このことはSBSテレビのドキュメンタリー番組『それが知りたい』で「浦項の怪談」[2011年7月]と題して取り上げられて話題になった。警察と経営者の癒着に疑惑の目が向けられるとともに特別捜査班が編成され、当時の事件の捜査担当者全員が捜査中にも店で接待を受け、経営者らとゴルフをしていた事実など、想像をはるかに超える癒着関係が明らかになったⒻ。検察も、またこれらの店で経営者側の弁護士から接待を受け性売買をして懲戒された。

法の執行機関と性売買業者の結託は（中略）世界的な現象である。性売買産業の公開性を考慮すればそれは当然のことだ。麻薬や武器は人目につかないように秘密裏に持ち込み、販売することが可能だ。だが性売買で取引される「商品」は、最終的に運賃を支払う者の前に包み隠すことなく姿を現さなければならない。だとしたら買春者が街頭や宣伝チラシを通じて堂々と取引される不法な商品を発見するとき、法の執行機関もまったく同様にそれを発見してしかるべきだ。にもかかわらず関係当局が性売買の根絶のために何もしていないという事実は、彼らが性売買の問題に無関心であり、その深刻さをまったく理解できず、かえって性売買業者と金銭的な利害関係を結んでいることを物語っているⒼ。

2015年に請託禁止法（別名「金英蘭法」★15）が施行されて以降は接待文化が変化し、企業の年平均接待費が減少しつつあるとはいえ、韓国はなお接待費に年間10兆ウォン（2018年10兆7065億ウォン）を支出する国である。この接待費の相当部分が遊興酒店とゴルフ場で使われる。経済水準の似通った他の国々と比べても深刻な数値だ。トランスペアレンシー・インターナショナル［国際透明性機構］が毎年発表している腐敗認識指数で、韓国は2017年にOECD加盟35カ国中29位だった。そしてその腐敗の大きな部分を占める贈賄としての接待慣行は、性産業に保証された需要を生むと同時に、強固な供給ラインを確約する要因なのだ。

命を落とすのは風俗産業に従事する女性ばかりではない。2018年3月2日に釜山市海雲台地区の超高層ビル、エルシティの外壁工事現場で作業していた4人の労働者が墜落死した。

★15 金英蘭 法律家（1956〜）。最高裁判事、大学教授を経て国民権益委員会委員長を務め、「不正請託および金品等授受の禁止に関する法律」の必要性を提唱し法制化に道をつけたことから、同法はその名を冠した別名で呼ばれている。

事件を調査する過程で、現場を管理監督すべき労働庁の責任者や労働基準監督官らがポスコ［韓国最大の鉄鋼メーカー］などの建設関係者らから繰り返し饗応を受けていたことが明らかになった。さらには事故後にも海雲台のルームサロンで接待を受けていた。これは不正腐敗が招いた典型的な人災である。それ以外にもルームサロンでの接待や金銭を受け取って不良品の納品を隠蔽した韓国水力原子力［韓国最大の発電会社］の職員の話や、ルームサロンで接待されて事業に便宜を図った韓国電力公社の職員など、似たようなニュースは枚挙にいとまがない。

また、性売買を伴う男性中心的な会食と接待の慣行は、女性にとってもうひとつのガラスの天井として作用する。重要な決定を共有し関係を築くこの男性たちの遊興から排除され、多くの機会を失う女性たち、弱い立場にあって接待の負担に苦しめられる企業、それに耐えられない男性もまたこの巨大な産業の犠牲者だ。

韓国の性産業は組織的に動き、日常的な贈賄やロビー活動と切り離すことができない。この根の深い腐敗がつまり「性売買防止法」以前の、人身売買を含むとてつもない規模の性産業を育てた土台だった。そしてこの腐敗が「性売買防止法」以降も法律を無力化し、結局は性売買へとつながる権力型の不正を存続させている。「性売買防止法」の制定に伴って期待されていた韓国の性売買市場の変化は、こうして変化を主導すべき国家機関や社会指導層によって停滞させられている。

買春者、市場の奴隷

２０１８年10月、「風俗探偵」なるサイトがネット上に登場した。恋人や夫の買春履歴を調べて通知するという触れ込みとともに、数日間のうちにユーザーのレビューやクチコミがあふれ返った。だが最初に同サイトを立ち上げた人物は、わずか10日ほどで警察に逮捕された。買春のレビューを書き込むサイトが雨後の筍のごとく生まれ運営されていても、斡旋業者どうしの対立から内部情報のリークでもない限り捜査に着手せず、それもすぐに打ち切ってしまう状況と比べれば、遊興酒店関連の捜査では実に久しぶりに警察の有能さを示した事案だった。当時の新聞記事によれば、風俗探偵は十数日間で８００人あまりの記録を確認し、約３０００万ウォンの収益を上げた。だが、いかにしてこんなサービスが可能だったのか。その背景には経営者らが共有してきた１８００万人もの膨大な買春者データベース「ゴールデンベル」があったのだ。

２０１９年に「夜の戦争」なる性売買斡旋ウェブサイトが捜査の結果閉鎖された。会員数が70万人を超え、書き込まれた性売買レビューが21万件あまりに及ぶ韓国最大の性売買斡旋サイトだった。「夜の戦争」を開発・運営していた業者らは、かつて運営していた「めくるめく夜」が２０１６年に摘発されると、同じプラットフォームで「めくるめく疾走」、「夜の戦争」などとサイト名を変えて営業を続けた。性売買ウェブサイトには広告を出す性売買斡旋業者以外にも広告代理店、制作会社、ヘビー・アップローダーなどがかかわっている。買春者を呼び込むためにさまざまな広告や目玉商品を提供し、何より買春者の自発的な参加を勧める。70代の女性を撮影した「性売買記念ショット」をサイトに投稿して世の怒りを買った「イルベ[★16]のバッカス男」事件[★17]で最初に写真を撮ったのは40代の区役所職員で、サイトのページビュー数を稼ぎたくて写真を投稿したと、供述した。

そんなふうに買春者たちは競って写真や動画を投稿し、斡旋サイトの忠実な「ＰＲマン」の役割を果たす。そしてより多くの「いいね」をもらってランクアップし、コミュニティを任されて認めてもらおうと努力する。この呆れたランキング競争は、実は業者の掌の上で転がされているだけだ。自腹で買春し、いそいそと誇らしげにＰＲにいそしむ男性たちのレビューが数十万件にものぼる。こうした買春レビューサイトには女性の評価や写真などが無数に投稿されている。対象とされた女性への人格冒涜を含む愚弄や侮蔑は、もはや買春者の権利のごとく思われている。性別という生

★16 イルベ 「日刊ベスト貯蔵所」というネット上の掲示板コミュニティの略称。ユーザーは極右性向で朝鮮民主主義人民共和国、左派・革新派、市民運動、女性、外国人、全羅道などを毛嫌いし、それらを蔑視・嘲笑したり、朴正熙、全斗煥元大統領を英雄視して民主化の実績を否定するなどの書き込みが多い。

★17 「イルベのバッカス男」事件 性売買の際に撮影した女性の裸体写真がアダルトサイトに投稿され、それを利用して作成したフェイクレビューが「日刊ベスト貯蔵所」の掲示板に再投稿されたため、そこから広く拡散されるとともに被害女性を嘲るおびただしい書き込みがネット上に氾濫した。最初の投稿者、再投稿者ともに検挙され、それぞれ懲役６カ月、罰金５００万ウォンの刑となった。

物学的な条件が価格決定の基準となり、それを共有して「遊ぶ」彼らにとって、基本的人権など考慮の対象ではない。男性たちがこうした文化、こうした認識に慣れきっていることが、はたしていかなる社会的価値を形成するのか、あまりにも自明である。

２０１０年前後から、日本や韓国内の性売買の店で撮影された動画や写真を苦にして相談する女性がぐんと増えた。とはいえ提訴する勇気は持てずにいた。逆に晒(さら)されることになるばかりで、被害の回復はほど遠いと思って諦めてしまうのだ。逆に写真や動画を撮影されてしまうのではないかと、買春者に感づかれないように気をつけることだけが身を守る手段のすべてという場合が多い。だが時として隠し撮りしていたことが発覚した買春者が、疑われたことを不愉快だと大声で騒いで料金を返せと逆ギレすることもある。そのため街頭で客待ちをする女性たちは、撮影されることを知りながらも黙認したり、身近な人々に見られないように願うしかないと話す。拒絶されようが、抵抗されようが、写真や動画を撮影してせっせとネット上にアップロードする男性たちは、誰に認めてもらいたいのだろうか。

韓国の性売買は集団文化だ。男性どうしの集団内の結

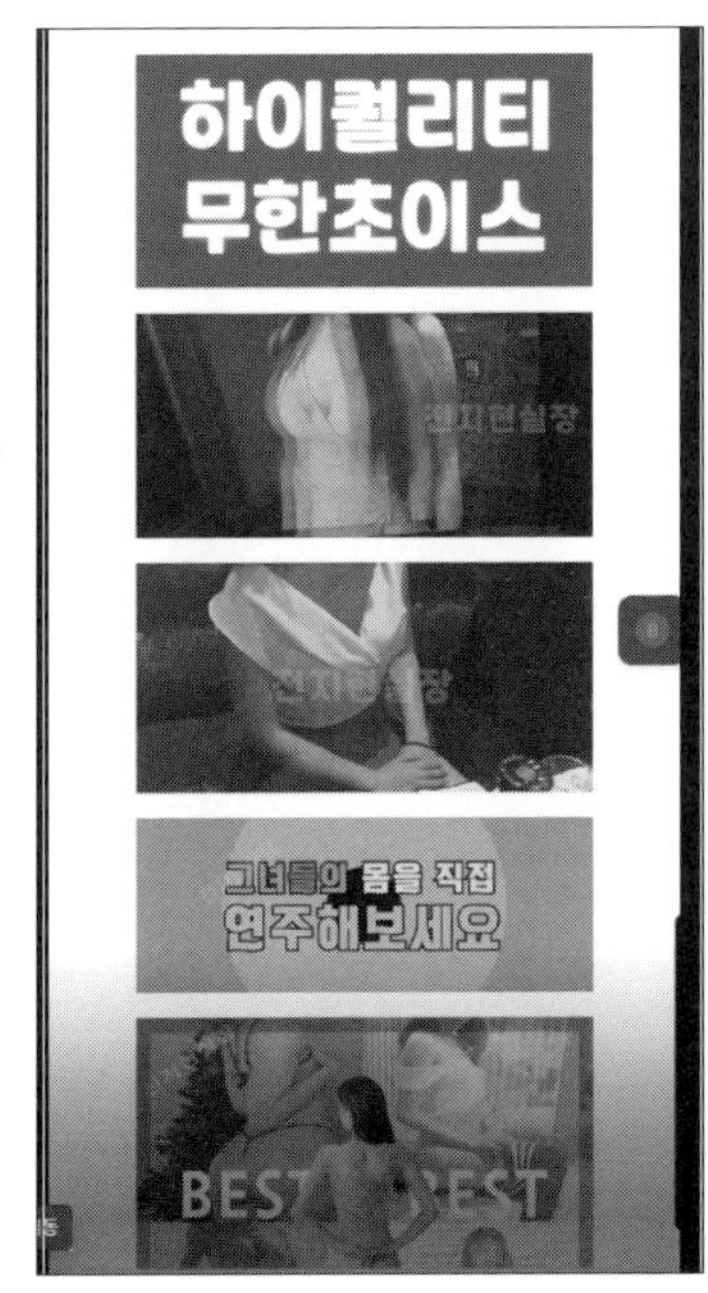

写真8◉
SNSの遊興酒店の広報サイトの内容の一部。一枚目「ハイクオリティ、無限チョイス」、４枚目「彼女たちの体を直接演奏してみて下さい」と書かれている〈2021年撮影、著者提供〉

束の場として機能する。ホモソーシャルによって買春は当然視される。これまでに数多くの研究が、買春は文化的に構築されるものだということを示している。男性の本能が買春を可能にしているのではなく、買春が可能な社会的環境が土台を築いているのだ。たしかに買春は金銭で決まる消費行為だ。性売買集結地の場合でも、買春者は30〜40代の既婚者がもっとも多いと女性たちは証言する。研究を見ても、地位や所得が高いほど買春経験の割合が高くなる。

有名芸能人が性売買関連の店に行ったとか、10代女性を相手に買春したとかというニュースは、少なからず耳にする。現場で出会う女性たちに有名人の話を聞くこともよくある。「私のいる店に誰それが来た」という話から、有名芸能人で店に来ても女性たちに横柄な態度を取らないまれな人物が誰なのか、あるいは誰がどんなえげつない行為を好むのかについても教えてくれる。ここで注目すべきは、こうした有名人が噂になることも意に介さず買春をしてきたということ、それが可能だという事実だ。芸能人のみならず、政治家、メディア関係者など自分のキャリア管理のために世の視線に敏感にならざるをえない人々が平然と買春するということは、相手をする性売買女性の声など彼らが意識していないからであり、また性売買をさほど問題視すべきと思っていない社会環境にもよる。

外貨獲得や経済成長のために観光や接待用の商品として管理してきた性売買の歴史が、男性たちの買春を日常的な出来事にしている。その歴史、その時間が、教室で教師が教え子に自分の買春経験を自慢話として語る現状を生んだ。遊興酒店で性接待を受けたり目撃したりした話、そういう場所で教え子に出会った話まで、面白おかしく語れる状況を作ったのだ。

数年前に大邱のある学校で、教師が海外旅行で買春した経験談を授業中に話して聞かせた。生徒がそれを暴露した。学校も地元も驚いて対応し、懲戒手続きに入った。生徒が問題視するなど思いもよらず口を滑らせたその教師にとって、それは初めてのことではなかった。男性教師の一団が体育大会の打ち上げで性売買集結地に行ったという話も、他ならぬその教師の口から伝えられている。変わったのは、そのことを問題視する視線が生まれていたことだ。

海外旅行商品「皇帝ゴルフ旅行」▼10に出かけた面々が、フィリピンで未成年者買春の容疑で拘束され保釈金を支払って解放された。販売者が現地の警察とグルになったおとり捜査に引っかかったのだ。日本人が一時期韓国にキーセン観光に来ていたように、韓国男性が買春観光で海外へと出かけている。旅行代理店は「夜の文化」と名づけてこうした旅行商品を販売して性売買の店を紹介する。まるでスマホなしでは生きられない世の中のように、買春なしでは生き残りの難しいホモソーシャルな社会が作られている。男性たちの行為の違いは、その中でどこまで財布の紐を緩めるかのみにある。

性売買をし、性売買の事実を競い、それを認めあうこの消費者たちは、性売買市場の奴隷だ。カネを捧げ、夢中になってレビューを書き込み、認められようと必死だ。買春で自分の存在を証明するよう仕向けられた社会で、男性は買春者になるのだ。

買春者は「ご主人様」になれるのか

買春者がカネを払って女性を買ったのだと思うように、性売買女性の側もこう言う。「払ったカネの分だけ相手する」。いい気にさせてより多くのカネを使わせようとするシステムのなかで、女性たちは考える。「そこらで出会ったら鼻にも引っかけないようなやつら」。そう自らを慰めつつ、たとえその瞬間に自分が「クソ以下に扱われようともひたすらカネのため」と考える。これは30年を性売買の現場ですごしてきたCさんのことばだった。だから大半の性売買女性にとってもっともうんざりなクソ客は、やるべきことはすませておいてカネを払わないとか、射精できなかった、サービスが気に入らないと言ってカネを返せとかいう客、規定のサービス以外にも要求しながら追加料金を支払わない客だ。

買春者たちは性売買女性をさげすみ「カネで体を売る分際で」と考える。だがその考えは自分に跳ね返ってくる。買春者とて「カネ」がなければ相手にされない。それが相対取引だと気づかない買春者は、「なんで言うことを聞かない」、「俺をカネヅルとしか思ってないのか」と言いがかりをつける。性売買女性としての経験をつづった書籍『道を渡れば崖っぷち』[★18]で、著者は「純粋に好奇心から訊くんだけど、どうしてこんなことしてるんだい?」、「俺ってどういう存在?」、「俺がカネに見えた?」、「つきあっている男がいるから俺につれないのか」などと買春者に尋ねられ、答えに窮して往生したと書いている。著者は「呆れたけれど、何と答えていいのか思い浮かばなかった」という。カネを受け取ってしばし体を売っただけの関係なのだから当たり前ではないか。

買春をする男性のあいだでは、「作業」▼13をしかけてくる女性に引っかかって「カモ」にならないようにとの「アドバイス」が飛び交う。だがそれはその市場の論理だ。女性はそれぞれだまそうと意図して買春者をだましているわけではない。興奮したふり、気持ちよさそうなふり、よがるふりを演じるのは性売買市場のオプションだ。そして買春者たちは自分の買った相手がその定番オプションに忠実に振る舞うことを期待する。なのに同時に自分にだけは本気であってほしいと願い、また本気だと信じているとしたら、それは買春者側のルール違反だ。そうしたルール違反によって罵られ非難されるのは、たいてい女性たちだ。性売買の店の女性に入れ込んだ男性が、クレジットカードで借金を重ねてとにかく熱心に店に通った。賃金労働者だった男性は数カ月後には破産するに至る。それを知った男性の母親が店に乗り込み、女性を雌カマキリ呼ばわりし、詐欺で訴えてやるといって大騒ぎした。そうしたことは珍しくもない。

Dさんは常連客にブランド品のバッグや時計をプレゼントされたが、内心は居心地が悪かった。その客はあまり余裕があるようにも見えないから、ひょっとして問題でも起こすのではないかと

★18 道を渡れば崖っぷち
ポムナル『道を渡れば崖っぷち〜性売買という搾取と暴力から生き延びたある女性の勇敢な記録』(原題)バンビ、2019年。2022年3月現在、日本語訳に向けて作業進行中とのこと。

心配だった。Dさんは自分には必要ないそのプレゼントを母親に渡した。Dさんがどんな仕事をしているのかおおよそ察しのついていた母親だったが、そのプレゼントをどこで手に入れたのか尋ねることなく喜んでくれたという。だが1カ月ほどしてその客の妻だという女性が店を訪ねてきて、プレゼントを返してほしいと迫った。店主からはややこしくなるから代金を返せと言われたが、Dさんは困ってしまった。べらぼうに高い代金を返すことができず、結局は店を辞めた。

Eさんの常連客は日雇いで稼いでいるらしかった。その客はときどき訪れては一晩で100万ウォン以上も使った。Eさんだけでなく店の他の女性たちにまでチップを振る舞い、ロング▼32を利用した。Eさんはその客のことを一方で気の毒に思ったそうだ。Eさんはその客のよれよれの衣服や古びて擦り切れた下着を脱がせながらいつも複雑な気持ちだった。そのカネを自分自身のために使えばいいのにと同情しつつも、「俺だって男だから」とこんな店でなけなしのカネをはたいて王様のように尊大に振る舞う彼を見て、「そうよね、どうせ他の店で使うんだったら私に使ってちょうだい」と思ったという。いずれにせよ止められないその客の行動を、ただ受け止めてあげることで最低限の礼儀を示したのだ。

これが買春者の作る世の中だ。ところがカネがなくて買春ができないと、男たちは女性に暴言を浴びせ、暴行や殺害にまで及ぶ。己の人生を狂わせた構造、誰が性売買を承認し、社会に性売買をはびこらせたのかには目を向けようとしない。街角の店のポスターには「死ぬ前に一度は行くべき場所」というコピーが書いてある。2019年に全国に貼られていたポスターだ。まるでどれも同じ代理店が請け負ったかのようなそのポスターは、南原（ナムウォン）、慶州（キョンジュ）、大田（テジョン）などの街角で、多国籍の美女たちが在籍するという風俗店を宣伝していた。そんなにいいところに一度も行けないまま死ぬかもしれない全国の不遇な買春者に向けて、一度でいいからぜひ行ってごらんと焚きつけるそのキャッチコピーは、性売買を日常の経験として提示する一方で、買春する能力のない者をあざ笑う。

これほどまで性売買を勧める社会にあって買春者だとアピールする者は、自腹を切って己をカネで評価するシステムに積極的に参加する。「性売買経験当事者ネットワーク」[19]の当事者の活動家たちは、買春者がもっともよく歌う歌として「人は花より美しい」[20]を挙げた。女性を呼んであらゆるえげつない行為に及びながら、穏やかな幸せそうな表情で人は花より美しいと歌う客の姿を見て、女性は何を感じたのだろうか。

30代初めに子宮がんの手術を受けたFさんと、買春者について話していた。性売買をする女性たちは、子宮頸がんや肝臓がんのように、挿入性交に伴う発症確率の高い疾病に脆弱だ。どんな疾患があるのかわからないのにコンドームなしでしようとする男性が多いので、女性たちはただ運を天に任せるしかない。そうした悩みを分かち合い、「クソ客」について話していたとき、ペニス増大手術を受けて性売買女性でさえ相手をするのがはばかられる男性のことに話題が及んだ。Fさんは、自分はそういうクソ客専門だと言い、手術でペニスを大きくしすぎて他の女性に受け入れてもらえない客の相手になってやると、ありがたいといって料金を上乗せしてくれることもあると言った。「どうしてそんなに大きくするんでしょうね。カネもかかるし痛いでしょうに」と言うと、Fさんは「男どうし比べて引け目を感じないため」なのだと教えてくれた。

40年間も買春を続けてきたという自信満々の男性にインタビューしたときも、同じような話を聞いた。男性は買春を繰り返すうち、「元手」が惜しくてもっと長持ちする方法はないものかと策を講じた。薬物を挿入したりインテリア▼03を施したり、ついにはペニス増大手術まで受けた。だが男性も知っていた。ペニスを大きくすると性売買女性に嫌われ、いくらカネをはずむと言っても拒否されがちだ。それを知りながらもペニスのサイズにこだわった。男性性機能障害の治療や泌尿器科の広告は形成外科並みに多い。その「性能」を維持し、男性のパワーなるものを誇示しようと、買春者たちがどれほど努力しているのか、性売買女性も知っている。大規模な性産業を有する日

★19 性売買経験当事者ネットワーク 脱性売買をはたした各地の性売買経験当事者女性たちによって2006年に結成された。第6章参照。

★20 人は花より美しい マスメディア向けのプロモーションを介さず、デモ、集会、組合活動の現場などで歌われることを目的に創作されるいわゆる「民衆歌謡」というジャンルで、1990年代を中心に活躍したアン・チファンの代表曲のひとつ。タイトルからもわかるように内容はいわゆる人間賛歌で、サビは「誰が何と言おうと人は花より美しい」。このジャンルとしては珍しくテレビ番組にも登場するため背景を知らない保守派も歌うだろうが、基本的には民主化を担った進歩派、労働者が好む歌である。

本や韓国だが、夫婦間のセックスの回数はほぼ地を這っている。日本がつねに最下位を免れない分野だ。

巨大な規模の性売買市場は、男性にとって「カネさえあれば俺もご主人様になれる」という妄想を植え付ける。だが、いったい誰のご主人様なのか。買春者は、セックスから疎外された市場の奴隷にすぎない。

ホモソーシャルな社会——強者と弱者の遊び文化

「性売買防止法」制定1年前の2003年、「韓国女性の電話」〔DVや性暴力の専門相談機関〕が実施した性売買の認識に関するアンケート調査によると、回答した男性の約50パーセントが性売買の経験があると答えた。現在の統計と似た水準だ。買春の動機は「飲み屋で一緒になって」(46・6パーセント)がもっとも多く、「接待の慣行上」(12・9パーセント)がその次だが、これは韓国男性の性売買が社会文化的構造のもとで再生産されていることを意味する。また今後、買春する状況に置かれたらどうするかとの質問には、性平等意識の低い集団で買春の意図が高いという結果になった㉝。これは買春を犯罪視せず、男性が酒席で古くからの慣行のごとく続けてきた結果だ。

10代男性の性犯罪も同様だ。韓国社会は、未成年者が互いに同意のもとに交際しセックスすることを非行扱いしながら、スナッフフィルム[★21]やエロ動画を回し見して性搾取を日々繰り返す行為には「男の子はそういうこともある」と目をつぶってきた。それを「男らしい」と容認してきた時間が積もり積もって、今や10代男性は性搾取犯罪の主犯であり共犯になった。社会的に成功すれば男は好きなだけ女を選べるという性売買社会の教育シナリオは、性売買をあおるだけにとどまらず、この成功のシナリオから落伍(らくご)した男性たちを被害者意識にとらわれた日陰の性犯罪者へと成長させる。

★21 スナッフフィルム 拷問や殺人が実際に行われる様子を撮影した動画。スナッフ(snuff)は英語で鼻を鳴らしたり蝋燭を吹き消したりする様子や音を表す擬態語から派生したスラングで「殺す」の意。

これまで強調してきたように、韓国のホモソーシャルの中心には性接待を基本とする遊興接待文化がある。提供される側と提供する側の存在する接待という構図において、弱者たる個々人のさらされる圧迫はもとより、友人や同僚といった関係においてさえ、女性コンパニオンやホステスとの同席を固辞すれば集団から排除されるのではないかと恐れてとどまる者もいる。そうした「ホモソーシャル社会」を抱える韓国男性は、あたかも生存条件のスタンダードであるかのように性売買経験を有している。新入社員の歓迎会で、まるですばらしいプレゼントのように買春を「させてくれる」上司の計らいを拒否することはできない、という具合だ。取引先の社員への接待として日ごろから風俗店に行かなければならなかった男性は、「最初はショックだったが、じきに日常になった」と言う。

さまざまな理由から、できれば買春の現場から逃がれたいと思う男性はたしかに存在する。そうした場合、「集団」の声は「強要」として迫ってくる。「個人には自分は別、という判断はありえない」という集団意識と「命令には絶対服従」という序列意識が押しつけられ、集団から外れた行動に対して仲間から制裁されることもあり、性売買の拒否が集団のメンバーから——男性性を象徴する——経済能力の喪失と受け取られ、買春に誘われることもある❶。

こんなことを書くのは、買春をする韓国男性もまた構造的な被害者にすぎないと言いたいからではない。こうした「平等な買春の権利」を強要する男性文化がお互いを共犯者化し、どういう機能を果たすのかを示すためである。男性たちはもうひとつの性別をカネで買うことのできるモノにし、みんなで一緒にその買春権者になることで、自分たちどうしのヒエラルキーに内在する搾取や暴力を打ち消してしまう。絶対的に低い階級（非-男性）[★22]が存在するとき、男性内部のヒエラルキーは相対的な特権になり、耐え忍びうるものになる。そしてその特権を失わないためにホモソーシャル集団は不条理に沈黙し、搾取に共謀する。また、ホモソーシャル社会で力を持つ男性の搾取を告発する代わりに、外部の、より低い階級である女性にその被剥奪感を転嫁し、怒りをぶちまける。だが、その実体はとどのつまり、資本を持てる男性が一方的に振る舞うゲームだ。小説『コメント部隊』で3人の男は、権力に擦り寄って利益を山分けできると期待しつつ女性の体を搾取する際には共謀する。だが、結局は持たざる身ではそのゲームのなかで互いを退け合い、持てる者に操られて踊らされるにすぎない。チェ・テソプの書いた「つくられた韓国男」という表現は、そのような男性支配のかたちをうまく説明している。

男性支配とは、少数の権力を有する男性のために、特段果たすべき役割のない多数の男性たちが熱と誠とを尽くして服務する不公正なゲームだ。つまり、その支配のコストは男性と呼ばれる全員が負担しているが、支配を通じて得られる果実は一部が独占するしくみだ。その一部とされる者は、同じ支配者仲間のための配当金も自分のポケットから出しはしない。彼らの与える配当金は女性と非-男性に対して行われる差別である。すなわち、男たちは自分たちの足元に自分より劣る者がいることを見て得られる慰めと若干の反射利益のために、家父長制の守護者の役割を果たしているのだⒿ。

それゆえ男性たちのヒエラルキーのなかの遊び文化には、配当金として女性搾取が必要なのだ。

★22 非-男性　男性社会で男性として認められない男性、男性ではないとパッシングされる男性をさす。生物学的男性だとしても既存の「男性性」を遂行しないと「男らしくない」「女のような」というレッテルを貼り、暴力（性暴力含む）の対象にする。ゲイやトランスジェンダーを含む。

2011年夏、浦項

2011年6月13日、浦項市でひとりの女性が自殺した。女性は市内の風俗店で働いており、「ローンを返せない」と遺書に書き残していた。彼女で8人目だった。浦項では1年のうちに風俗店の女性の自殺が相次いでいた。始まりは2010年7月7日から12日までに3人の女性が続けざまにみずから命を絶った事件だ。同じ地区の遊興酒店で働いていた3人が遺書も残さずに後を追うように死を選んだことに憤りと疑問を抱き、浦項へと駆けつけた。

地元の諸団体と追悼式を行い遺族と会うなかで、3人を死に追いやった原因について当然地元の人々が調査して問題を解決していくものと期待した。だが結果は女性たちを雇用していた店に対してはまったく罪を問わず、何軒かのサラ金業者を逮捕するだけで幕引きとなった。その後、掘り下げた記事を通じて浦項の遊興酒店の横暴さや女性搾取の実態が明らかになったが、たんにどこでも起きうること程度に片付けられてしまった。鼻息荒い店主らは活動家による平和的な集会にもビール瓶を投げたり罵倒を浴びせたりしたが、それらの行為は警察に見守られるなかで行われた。警察はただ見ているだけ、店主らは悪びれる様子もなかった。たっぷり納税して商売しているんだと誇らしげに叫び、女性たちの自殺で商売に打撃をこうむったとうそぶいた。

そうやって、その夏に自殺した3人をこの世にいなかったかのように消し去ろうとした。だが自殺はまた起きた。2010年10月から2011年1月までに、また浦項の風俗店で3人の女性が自殺した。そしてそれもまた単純な自殺として捜査は終結した。死の直前までなんの予兆もなくいきなり自殺を選んだこの女性たちは、たんに「家庭の事情」や「恋人の心変わり」を苦に、生きていくことを悲観してこの世に別れを告げたとされた。警察や検察を訪れてもっと徹底的に捜査

韓国の性売買

SCENE 03

写真9◉
浦項の性売買集結地で起きた女性死亡疑惑に対する徹底調査を要求して行われた2010年7月15日の追悼式。その後、女性が死亡した場所のある通りを行進した。故人の魂を慰め事件に無関心な市民の関心を引くため、「白装束（葬儀場で女性が着る白い韓服）」を着て行われた〈著者提供〉

してほしいと抗議や申し入れをしたが、受け入れられなかった。

2011年3月15日に7人目の女性の自殺が報道された。浦項市大岑洞（テジャムドン）の遊興酒店で働いていた女性で、今度は遺族が遺書を発見した。遺書の内容は店主から耐えがたいほど侮辱された、自分は前払金のせいで性売買をした、その帳簿がある、などだった。遺書はひたすら店主に対する無念さを悲痛なまでに吐露していた。

私たちはふたたび浦項で追悼式を執り行った。もはやこれ以上の死を見すごすわけにはいかないとの覚悟で、女性人権運動の団体や浦項地域の諸団体とともに「浦項風俗店性産業搾取構造解体のための対策委員会」を立ち上げた。２０１１年4月7日に対策委員会発足の記者会見と追悼式を行い、関連情報の提供や相談を受け付けるホットラインを開設した。

そして死を選んだ7人目の女性の遺族や友人たちに会った。家族や友の無念の死に接して誰もが勇敢だった。直接警察署を訪れてなぜきちんと捜査しないのかと抗議し、私たちとともに陳情書を書き、放送局の長時間に及ぶインタビューにも応じた。自分たちに被害が及ぶこともいとわず、死んだ女性の無念を晴らそうとできる限りのあらゆることをした。そういう人びとの努力を通じて、私たちは女性たちの相次ぐ自殺の構造的な原因について知ることができた。そしてそれを世に知らしめることができた。以下は女性たちの身に起きた搾取の実態である。

日常的に構造化された搾取

1	前払金を女性に渡し、その後に高利の利子を女性から巻き上げる。
2	T．C．▼19の料金および二次（性売買）の費用から税金と口座（ＭＴ費）▼04を差し引く。
3	客が飲み代をツケで支払う場合、その金額は女性が責任を持って回収しなければならず、回収しそこねた飲み代は女性が肩代わりしなければならない。

4	遊興酒店ではテーブルでの飲み代が相当な金額になるが、客はその全額を支払わないことが多く、割り引きした場合は差額分をテーブルを担当した女性に支払わせる。
5	遊興酒店で働くために必要な多額の費用（ドレス、化粧品、部屋の使用料など）を女性の負担とする。それらの全額を給与から差し引くと残る金額はほとんどない。

店主の常習的な脱税および女性たちの被害

1	何も記入していないカード明細書（無地カードと呼ばれる）を受け取り、それを女性に代価として支払う、無地カードで処理してくれる店主に営業権を譲るなど、従事する女性たちや出入り業者らを共犯者に巻き込んで不法な営業を行う。
2	無地カードを使用すれば、買春者は自分たちが遊興酒店でクレジットカードを使ったことがバレず、店主のほうもそれを店の収入に計上せずにすむ。そのやり方を店の女性にも適用し、支出（仮払いのかたちにした給与）や精算（決まった給料日に働いた額を支払うこと）の際に現金ではなく無地カードで支払う。そうすれば女性は買い物の際に店の近所の無地カードの使える商店など限られた場所しか利用できず、働くうえで必要な品物を買うときには比較的高い金額を支払わされることになる。こうして、遊興酒店集結地で女性たちは宿舎や買い物をする場所を含むあらゆる生態系の最下層に置かれることになる。

二次［性売買］の強要

1	二次をしなければ働けないように強制された構造
2	客が二次を求めた場合、それを拒否したら不利益をこうむるため、絶対に拒否できない。

地元機関や関係者（警察、幹部公務員、税務署、記者など）と遊興酒店経営者との癒着

1	警察、検察と店主が癒着関係にあり、または警察、検察関係者が客なので、店に不法行為があってもまともに捜査してくれないだろうという公権力（警察や行政）への不信感が、女性たちに「逃げきれない」という絶望感をいだかせる。
2	風俗店の女性たちのあいだで、店主と警察が共謀して事件を隠蔽しているという噂が広がっている。
3	関連機関の関係者が、自分たちも浦項の遊興酒店を利用していると公然と話しているのが現状。地域の閉鎖性に加え、誰もが共謀者という雰囲気は、女性たちが希望を持って解決に向けて踏み出せないよう作用している。
4	地元の公共機関で働く人々が買春者であり、店主も日ごろから自分が公共機関の関係者と親しい間柄だと女性たちに話して聞かせている。
5	店主は、自分たちの不法な利益を確保するための協会を結成し、搾取的な管理方法を標準として適用するよう協会のメンバーに強要している。問題が生じた際には協会が直接介入して利権を統制している。

2011年4月に浦項市と警察とが立ち上げた自殺防止対策班はただ形式的に格好を整えたものでしかなく、私たちの要求した懇談会では一生懸命やっているとくどいほど繰り返した。浦項市大岑洞の遊興酒店の経営者らの集まりで、女性たちへの人権蹂躙的な搾取構造を維持、強化する役割を果たしてきたという「ハンマウム［「ひとつの心」の意］会」については捜査さえせず、店による前払金提供を餌にした性売買の強要・斡旋および不法な営業形態などについて税務調査

や取り締りなど特段の措置を講じるという約束は、店を何回か訪問するだけで打ち切った。自殺した7人目の女性の事件に対する経営者の捜査内容は、遺族や友人たちの陳情にもかかわらず、家宅捜索が遅れて証拠さえ満足に確保できず、裁判が開かれもしないうちに経営者は改装した店で営業を再開した。

進展のなかった捜査に大転換が起きたのは、この事件がSBSのドキュメンタリー番組『それが知りたい』「「浦項の怪談――終わらない死のドミノ」2011年7月」で放送された直後だった。中央の警察庁レベルで捜査を指揮することになり、地方警察庁に特別捜査班が組織された。私たちの活動が世に知れわたるとともに、事件の起きた性売買集結地以外にも似たような地区の多くの性売買女性たちの相談に乗り、支援をした。手引き屋にサラ金業者、座布団屋に集結地、どこでも女性たちの置かれた状況は悲惨なものだった。

浦項に限った問題ではない。全国で同じように女性たちを搾取する性産業が構造化している。性売買をめぐる搾取構造が日常化され当然のものとされている現場で、その都度女性たちは死をもって訴えている。命を懸けた女性たちの叫びは「もう、たくさんだ」と言っている。私たちは女性たちの声に答えなければならない。さらに大きく断固たる声で、「もう、たくさんだ」と。

第3章　原注

Ⓐ Aさんは当時、起訴中止の状態だった。私は陳述書を何度も読み返し、まずはAさんを担当する警察官に会った。Aさんに逃亡の意思はなく、自首して調査を受けるつもりであり、経営者の脅迫をいかに恐れているか説明した。さらに事前に陳述書を提出し、警察や検察にAさんの直面する状況に共感してもらいたいと思った。毎回こうした事件を調査するたびに、現在の性売買システムで犯罪者はまぎれもなく斡旋業者であり、連中がどんな手口で法律を利用しているのかを縷々説明した。そのために相談所では、性売買の構造を理解してもらい、捜査官に女性たちの奪われた人生に共感してもらえるよう、相談員の意見書を書く。女性が逃げ出せば経営者はブラックリストを配布するので全国にその情報が出回る。捕まえれば報奨金が支払われ、その金額は前払金に追加される。また、それとは別個に業者らは前払金詐欺で女性を告訴する。通常、女性たちには正確な住所がない。10代で性売買に手を染める女性たちは店を住所にしている場合が多いが、経営者にそうさせられていることもある。告訴したとき、その通知書が店に届くようにするためだ。店から逃げ出して経営者を告訴した女性は、通知書も受け取れないまま逃亡者ならぬ逃亡者になる。警察では3回ほど通知書を送付して告訴人が出頭しなければ、それを検察に報告する。すると検察によって起訴中止の決定が下される。業者らは、法律に関する知識のない女性たちに「訴えるぞ」と事あるごとにすごむ。そのためカウンセラーは女性たちに法律情報を充分に提供し、勇気づけ、業者に対抗できるのだと教えてやる。

「性売買防止法」以前の刑事訴訟支援は、主として業者からの詐欺の告訴に対して、女性が犯罪者でないと訴えることだった。だが法律施行後は、斡旋業者を先に告訴したり告訴に告訴で立ち向かったりする戦術になった。業者の脅迫や恫喝から逃れるには、逆に告訴するのが唯一の方法だからだ。店から逃げ出した女性を業者が探し回らなくとも、女性宛てに作成された借用書や公証書は不意に舞い込んで未来を脅かす。力強く業者に対抗して女性も法律にのっとって闘えることを、むしろ業者のほうが法の制裁を受けかねないのだということを、見せつける必要があった。

かつて多くのケースで性売買女性は法律の保護を受けられず、業者の肩を持つ警察の姿を見てきた。それゆえ支援の際に警察と顔を合わせるプロセスで、女性たちが少しでも警察や行政の助けを受けられたり業者が確実に処罰されたりするところを見るのは、女性たちに大きな勇気を与えてくれる。そうした経験を通じて、不当なシステムのなかで自暴自棄になっていた女性たちも、漠然とした恐怖や怯えから抜け出すことができる。Aさんは警察署に入った瞬間、恐ろしさのあまり脚の力が抜けてへたりこんでしまった。だがAさんの書いた陳述書同様、自分の身に起こったことを落ち着いて話し、詐欺事件は嫌疑なしという結果で片づいた。

B カン・ソック、チェ・ソンナク『組織犯罪団体の不法な地下経済の運営実態および政策対案研究2』、韓国刑事政策研究院、2015

C 「昨年の企業接待費なんと8兆3000億」『京郷(キョンヒャン)新聞』、2012・9・30

D 「警察庁趙顯五(チョヒョノ)長官、『ルームサロンの皇帝』令状は検察がすべて棄却」『朝鮮日報』、2012・4・27

E 「誰がこの女性たちを死に追いやったのか」『時事ジャーナル』、2010・7・20

F 浦項の事件が起きた地域の遊興酒店は、同じ地域内に住む女性に絞って雇用するよう統制していた。狭い地域社会の権力構造のなかで優位にいた経営者に、遺族らが歯向かうことは生存を脅かされることでもあった。この事件を支援していた当時およびその直後、浦項地域の遊興酒店、座布団屋、手引き屋などで働いていた女性たちの相談要請が一気に増えた。

G デイヴィッド・バットストーン『告発・現代の人身売買：奴隷にされる女性と子ども』(山岡万里子訳)朝日新聞出版、2010・12

H その後も関連する研究は引き続き発表され、これに類似する分析結果が提示されている。買春の非経験者と経験者を対象としたアンケート調査に基づく2009年の研究でも、買春経験のある男性が買春経験のない男性より性役割に対して男性中心的な考え方を有していることがわかった(イ・ウンジン「成人男性の買春経験に基づく性売買および性関連の変因についての研究」、『韓国心理学会誌』、2009)。

I 「『ムンチが経験した買春男性たち』、女性を買って恥ずかしげもなく『うちの娘みたいだ』」『女性新聞』、2016・10・5

J (ママ)チョ・ジュンホン「男性性の規範とジェンダー化された関係性の側面から見た買春」『ジェンダーレビュー』2008年夏号、219〜253ページ／(訂正)チェ・テソプ『韓国、男』ウネンナム、2018・10、84ページ

第4章

商品にされた女性たち

なぜ性売買をするかって？

2019年のこと、ある男性の区議会議員が「ブランドバッグを持つような性売買女性には絶対に謝らない」と述べた。★01 彼の「所信」に歓呼を上げたユーチューバーやブロガー、政治家たちがたちまち彼をヒーローに祭り上げた。このように一斉に男たちが敵対する「ブランドバッグを持つ性売買女性」とは一体誰なのか。「大学生のアルバイトが多い」とか、「最近では何でも買いそろえたい子たちが贅沢しようと（性売買を）している」などと言う彼らに、私は一体どこにそんな女性がいるのか聞いてみたい。

★01 ある男性の区議会議員が〜述べた 大邱広域市中区の本会議で「大邱広域市における性売買従事者などへの自活支援条例」について行った区長への質問が不適切ではないかとのマスコミのインタビューで発言。これに女性団体などが一斉に反発した。

私が出会った性売買女性たちは、10代から70代まで年齢もさまざまだ。まだ経験の浅い女性から50年以上携わってきた女性まで、その経験は異なっている。だが、江南（カンナム）のテンパー▼24から離島のチケットタバン（茶房）▼17、ネット上の斡旋サイトにプロフィールを載せて流れ歩く女性たちまで、彼女たちが性売買市場に留まる理由はたったひとつしかない。彼女たちにとって性売買とは、生存のための「仕事」なのだ。カネを稼ぐためにその仕事をする。彼女たちは、一度性売買をしてみただけで、「性売買していた」などとは言わない。外部の人間は、女性が一回でも性売買的なことを行なえば自らを性売買女性だと認識するのではないかと考えがちだが、そうではない。彼女たちが性売買を「自分の仕事」だと受け入れるためには、ある特別な境目を越えなくてはならない。彼女たちにとって性売買とはたった一度のその場限りの事件ではなく、生存のために人生を生き抜く過程なのだ。

女性たちが性売買に「同意」するというのはフィクションに過ぎない。16歳のとき父親の暴力で家を飛び出したGさんは、ボーイフレンドと彼の友だちに集団でレイプされた。彼らは紹介料を受け取ってGさんを性売買集結地に引き渡した。Gさんはそこで1年働いて、やっと抜け出せた。集結地の生活は彼女にとって地獄のようなものだったが、戻った自宅もさらに地獄だった。暴力はふたたび続き、そして彼女は自分の足で性売買の店に向かった。どうせ家でも殴られるし、外に行ってもレイプされるなら、いっそカネもうけでもしようと思ったからだ。そうやって十数年を生きてきた。彼女は聞き返した。「これでも私は『自発的』と言われるのかしらね」。

Hさんの両親は離婚した。父親は生活費を送ってくれず、母親はアルコール依存症だった。もともと勉強好きだったHさんは、地方の大学に奨学生として入学することができた。だが、大学生活というのはたんに入学金さえあれば済むのではない。父親に会って援助を求めたが断られた。もう成人なんだから自力で生きろと言われた。生活費と学費のために「手引き屋」▼22に行った。

すると手引き屋の社長は仕事のための洋服代や化粧品代、当面の生活費などをサラ金業者から借りさせた。すぐに返せるし、もっと稼げると言われた。だが、そうして始めた仕事は、Hさんにとって苦役でしかなかった。夜通し酒を飲んで接待すると、その翌日は学校に行けない。稼ぐために「二次」[★02]に行かねばならず、二次で本格的に性売買を行うと、さらに辛くなった。Hさんはうつになり、しばらくして店にも学校にも行けなくなった。サラ金業者が取り立てにやってきた。カネを返せと脅す彼らの前で、Hさんは手首を切った。救急車で運ばれたが、サラ金業者の取り立ては収まらず、学校のインターネット掲示板にはHさんが飲み屋に行っていて借金も返さないヒドい女だと書き込まれた。その後、幸いなことにHさんは支援を受けて業者を告訴できたのだが、アルコール依存症の母親は病院に入院したHさんに何度も電話をかけてきて、自分の世話をするよう要求した。果たしてHさんは自分から望んで性売買を始めたのだろうか。

問うべきは、彼女たちがなぜ性売買をするのかではない。社会的に弱い立場の女性が切羽詰まった状況から性売買を始め、市場はあまりにもたやすく彼女たちの弱さを利用する。このとき、その「仕事」が果たして常識の範囲なのかが問題だ。その「仕事」は彼女たちにどのような影響を与えるのか、それを「労働」だと認めることが本当に彼女たちの権利を守ることになるのか、それを問うべきだろう。

商品になって限りなく待機せよ

女性たちが性売買市場に足を踏み入れることは、「私は性売買をするんだ」というような選択の問題ではない。カネが必要な女性たちにとって、友だちやお姉さんのような知り合いが、美容室の社長が、多くの誰かが、待ってましたと言わんばかりに、彼女のつらい瞬間に立ち入ってくる。店の求人広告を見て訪ねて行ったり、サラ金業者の人質になって借金を返すために店を紹介されたり、

★02 二次　第1章脚注★14を参照。

買春者とのチャットやアプリを通してなど、いずれにせよこの「仕事」は、人や場所など多くのことが緻密に仕組まれた市場で行われる。店であれ、街角であれ、買春者を相手にする場になって、はじめて「その仕事」が始まる。

性売買市場に入るまで女性たちは、「何カ月かやれば海外語学留学の費用も稼げるし」、「余ったお金はすぐカードローンの支払いに充てられる」というような話を聞かされる。まるで選択権が彼女たちにあり、心を決めてちょっと辛抱さえすれば大金を稼いで、これまでの悩みが直ちに解決できそうに思わせる。だが、女性個人が性売買を決心さえすれば、すべてが自然にうまく行くわけではない。まず彼女たちは売られるための準備ができていなければならない。買春者に選ばれるためだ。若ければ誰でもいいと言っていた買春者も、いったん選択権が自分に回ってきた途端、立場が上位になる。女性が充分魅力的でないと思うと、出会った場所からでも引き返す。怖さと羞恥心とともに買春者を待っていた女性は、約束した買春者が現れない理由を数千回も考えて、ようやく自分が選ばれなかったことを認めざるを得ない。これをこの業界では「チョイス」▼18という。

遊興酒店でも、性売買集結地でも、業者は女性を商品

写真10◉
大邱の性売買集結地チャガルマダンで性売買女性の衣装を売るショップ〈2014年著者撮影〉

として宣伝し、買春者を誘うために競争する。仕事は外見を整え準備することから始まる。スーパー銭湯★03に行き入念に肌をマッサージし、美容院で髪を整え化粧をして、衣装を選んで身につける。固定客のために毎日、違う雰囲気を演出する努力も欠かせない。少しでもみすぼらしく地味な女性は、待合室で根が生える。テンパーにいたある女性は、チョイスが一番大変だと言った。高額を支払ったVIP客は、あれこれうるさい。彼らはチョイスを楽しむ者たちだ。女性たちはダサくならないように、上品に見られるように時間をかけてめかし込む。そうやって着飾った女性の衣装をじらしながら脱がすのが、買春者にとっての快楽だ。買春者の男たちは彼女たちを基本的に「アマ」と呼ぶ。名前や個別性が消えたそこには「アマ」しかいない。彼女たちが一番よく聞く呼称は「アマ」で終わる多くの罵詈雑言だ。

性売買を前提とするすべての店で買春者は女性たちを選びながら、絶え間なく侮辱的な品評を行い、どのようなサービスをしてくれるのか駆け引きする。自分が望む商品を選ぶ過程が買春者にとっては、すでに消費者の権利だ。そうやって選択された何分か後に、女性が部屋から追い出されることもよくあることだ。こうした場合サービス料はおろか、一緒に働いている同僚や管理者にまでひどい侮辱を受けることになる。「按摩施術所」▼01などの業者は暗い照明の下でのマッサージとフルコースのサービスを「集中商品」としているが、ここでも買春者が途中で相手の女性を断ると、持ちきれないほどのサービス用品をかかえて入った女性はそのまま戻ってくるしかない。

客の気分をこわしたり、商品価値が落ちたりする様子をみせれば、同僚からも無視されるというプレッシャーがある。彼女たちの「おめかし労働」は、競争心というより生存の問題だ。買春者は選んでも選ばなくてもカネを支払う前から、消費者としての権力を行使する。身体を品評するだけで終わらない性的対象化と人格を侮辱する悪態、他の店の女性たちと比べてさらに多くのサービスを要求する駆け引きは日常茶飯事だ。この市場で完璧な商品はない。整形とダイエット薬、

★03 スーパー銭湯 韓国の銭湯の営業時間は大抵朝6時頃から始まり、夜9時頃に終わる。最近では24時間営業も多い。

うつと不眠症は、彼女たちの「仕事」の本質を表している。

他人の欲望の徹底した道具になるということ

多くの人は、性売買の女性はいつも受け身で、横たわって両足を開けば終わりだと思っている。だが、買春者はたんに射精するつもりだけで性を買っているわけではない。取引が成立し買春者と一緒に部屋に移動すると、女性は定められたサービスタイムに入る前にさとられないように、客が安全な人間なのかそっと見定める。性病や各種の感染症を心配しなければならず、買春者の趣向がサディスティックではないか、ひょっとして危険な薬物や道具を使おうとしないか、一時も気を緩めることができない。女性たちにとってその時からのミッションは、買春者の気分をこわさず定められたサービスを手早く終わらせることだ。

性売買女性たちにとって、「仕事が上手だ」というのは何を意味するのだろうか。少ない労力で最大の収益を出すのが有能だという基準は、彼女たちにとっても同じように適用される。時間がかかればかかるほど稼ぐチャンスを失い、身体は壊れていく。それで女性たちは早く買春者を興奮させて射精させることを目標とする。逆に買春者は払った分だけ元を取ろうとする。もっと長く、時間をかけて、最大限多くのことをやらせてみようとする。部屋の中では目に見えない戦いが行われる。当然、上位につく消費者の前で、下位にいる女性たちはこのような計算をさとられないよう、客の気分に合わせて演技しなければならない。

現場の女性たちにとって、優しい言葉をかけて「人間的交流」を望む客より、定められた挿入性交と射精をさっさと終えて帰っていく買春者の方が気が楽だ。話しかける客がいつ態度を変え、不平を言ったり不当な要求をしたりするのか予想できないからだ。業務上のスケジュールから外れたときに受けるストレスは、時間に比例して大きくなる。女性たちが買春者との行為でもっとも重要なのは時間だ。彼女たちにとって時間は金銭を意味するからだ。お得意様で割に気楽な買春者などごく一部の例外でなければ、時間の決まっていない「ロング」▼32や「フル」▼30商品を注文する客を女性たちが喜ばないのも同じ理由からだ。買春者ひとりに対して回数が決まっていない性売買や、時間が定められていない性売買は、買春者の嗜好によって限りなくつらくなる。

　女性たちが性売買という「仕事」をするために、必然的に受け入れなければならないことがある。それは買春者のさまざまな身体的特性と体臭などだ。毛深い性器で挿入時に疼痛が走るのに、コンドームを使おうとしない買春者がいる。また正常位であっても腰やあばら骨が押されたり、後背位で腰が抑えられたりするときは激痛をともなう。性交時の物理的な困難は、一般的なセックス行為でも起こりえる。異なっているのは、これを仕事として行う性売買の女性にとって、すべて「仕事を終わらせる」ために耐えるしかないということだ。仕事を終えるというのは、買春者の射精を意味する。だから行為の間はつらくても性売買女性たちは買春者が射精するまで、ただひたすら我慢するしかない。特に「擦(す)れ」や「摩擦」による膣内の傷は日常だ。

　彼女たちがもらす別の大変さは、その買春者特有の匂いだ。これは痛みに負けず劣らず、つらいものがある。途中でやめれば稼げないので、彼女たちは吐き気をこらえてコトを終える。売買でない性関係であれば個性や好みとなるような条件が、性売買の現場では苦痛でしかない。体位は男性の早い射精に有利になるように選択される。行為の間に髪を引っ張られて抜けたり、あばら骨が折れたりしても耐えるしかない。途中で止めれば、また最初から始めなければならないからだ。女性たちはただひたすら、買春者の射精を「させる」ために耐える瞬間を一日に何度も繰り返す。一度の売買が終われば、着崩れを直して次を準備する。精神と身体を初期の状態にリセットし、次の買春者のために待機する。

　買春者の要求は、欲望が多様であるほどに数え切れない。彼らはポルノで学習したことを、性売買の最中に実現させようとする。「女房とやれないことをするために来た」と平然と言ってのける。このような理由が重なれば、女性たちの駆け引きと苦労は大きくならざるをえない。買春者を満足させられなければ、それまでの時間とは無関係に返金を要求したり、満足するまで時間延長を求めたりする買春者も少なくない。買春者をまったく選べない立場の女性では、このような苦痛はさらに増す。

特異な性的嗜好の買春者を相手にすると、女性たちは自らも精神的に参ってしまう気がするという。変わった嗜好そのものが問題というより、それに一方的に合わせ何でも受け入れてやらねばならない自分の立場に懐疑的にならざるをえない。それでも、女性たちは仕事そのもののつらさと日常の危険に甘んじることを当然の日常として受け入れたまま生きていく。人身攻撃のような非難と家族への罵りなど、侮辱や感情的虐待に対しても同様だ。

性売買の女性は寝そべっているだけで買春者が射精すれば終わりだろうと考えるのは、あまりにも性売買の実態を知らない人だ。実際の性売買を構成するのは射精、つまり買春者が欲望の絶頂に達するまで、個人的嗜好と方法を動員するすべての過程だ。このような買春者の嗜

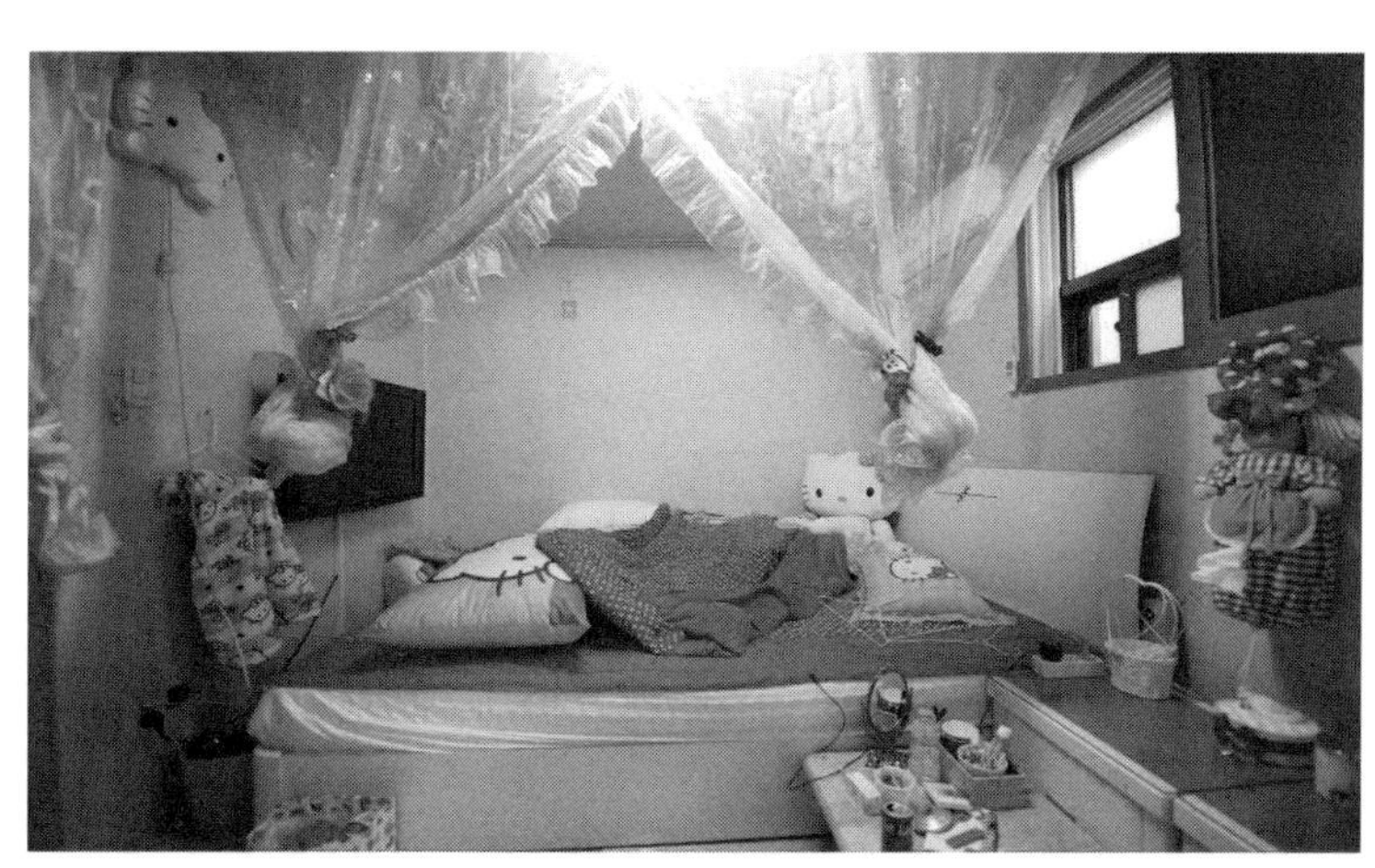

写真11◉
いくつもの「キティ」で装飾された大邱の性売買集結地チャガルマダンの一室。1980年代の同地には日本人買春者が多かったという女性の証言がある。
2016年に店にいた女性の荷物を持ち出す過程で撮影〈著者提供〉

好はときに麻薬、ときには言葉による戯れや暴力、またあるときはサド・マゾヒズム的要求など、さまざまな試みが含まれる。買春者の人数ほど、多様な他人の要求がある。

性売買女性になるということ、性売買女性として生きていくということは、このような他人の性的嗜好に道具のように使われることを繰り返す過程でもある。

性暴力と性売買の境界

性売買女性たちにとって、「性暴力」とは何か。性暴力防止法★04が制定される前の1988年、大邱（テグ）のあるタバンで働いていた女性が警官ふたりにレイプされたと訴え出る事件が発生した。彼女は当時、派出所内でふたりの警官に輪かんされ性病までうつされてしまったのだが、その事実についてはまったく調べられず、証拠も採択されなかった。被害者を雌カマキリだと罵倒した警察の主張通り、検察は起訴もせず、逆に女性が姦通罪★05と誣告罪で起訴されてしまった。悔しさのあまり女性団体を訪れた彼女は、裁判中にも自分の潔白を主張しなければならない立場に置かれた。しかし彼女は自分に起きたことと同じことが二度と起きてはならないとの一念で、辛い時間を耐え、誣告罪については無罪の判決を勝ち取った。警官たちは彼女がタバンで働き性を売る女性だとして、自分たちのやったことは性暴力ではないと主張した。当時は性暴力事件が依然として「守るべき価値のある貞操のみを保護する」という判例のように認識されていた時代だった。それならば、今は本当に変わったのだろうか。

#MeToo運動（2018年～）が起きて、以前より性暴力に対する社会の理解が高まりはしたが、依然として性売買の女性たちは剥奪感と疎外感を覚えるという。一般的な女性には侮辱とされることが自分たちなら構わないとされ、いつもの風景とされるためだ。遊興酒店の接客員として働く女性たちにとってセクハラは、たんなる「仕事」の一部だ。タバンからコーヒーを出前に来た女

★04 性暴力防止法 1993年12月制定、94年4月施行された「性暴力犯罪の処罰および被害者保護等に関する法律」。

★05 姦通罪 韓国の姦通罪は配偶者以外と性的関係をもった男女を処罰するもので、刑法第241条に規定されていたが、2015年2月26日に憲法裁判所で違憲判決が出され、即日廃止された。

性に、あるいはカラオケ・スナックでコンパニオンとして呼んだ女性に性売買を要求して断られると、「怒りを抑えきれず」暴力を行使し、あげくの果てには殺してしまう男性もいる。被害女性が死なずに生きて加害者を訴えたら、この社会は果たしてこれを性暴力だと認めただろうか。性を買うことを男性の当然の権利だと思っている社会において、性売買女性に対する性暴力を認めさせることは今でも大変なことだ。「性売買なんかをやっている女が、将来有望な、または家族を担う家長の前途をさえぎり、人生を壊してしまう」とありとあらゆる雑言で罵倒され、後ろ指を指されて終わるケースが多いためだ。

一方で、性売買を「ペイレイプ[Pay Rape]」と定義づける人もいる。金銭を支払ったということ以外は性暴力と同じではないかと指摘するものだ。強制された性関係という点で、性暴力と性売買に根本的な違いはない。このような視点からみると、性売買はそれ自体、カネを口実にして女性／弱者を性的相手として手段化する犯罪だ。

Iさんは40代後半の小柄で、晴れやかな声の持ち主だった。「電話バリ」[★06]と呼ばれる性売買をしていた彼女は、自分は「プロ」だと名乗った。電話バリというのは、電話の回線を所有する業者が運営するものだ。Iさんは業者が管理する事務所(主に旅館)にかかってくる電話を受けて、性を買う客のいる場所へ出向く。Iさんは自分を何とか食べていけるようにしてくれる客に感謝していると言った。体が弱く何のサポートも受けられない自分に、年老いた両親とペットの犬を世話するカネをくれるからだという。

そんなIさんが相談したいと言ってきた。警察の取締りに引っかかり取調べを受けることになったが、怖いというのだ。Iさんの話によると、警察が男性客を検挙したのだが、彼の通話履歴にIさんの電話番号があった。警察はIさんと性売買を行った客の陳述により、Iさんに事情聴取に来るように申し渡した。Iさんの心情は複雑だった。検挙された買春者は、Iさんにとって「絶

★06 電話バリ 日本でいうデリバリー・ヘルス(略称デリヘル)の一種とみられる。

対に忘れてはならない奴」だった。以前Ｉさんは電話を受けて約束したモーテルに向かった。男はＩさんが部屋に入るとすぐにドアを閉めて脅した。しばらくの間Ｉさんは腕力に圧しつぶされながら、彼が望むあらゆることを受け入れなければならなかった。「このままだったら死んでしまうかもしれない」という恐怖を感じたという。Ｉさんをしつこく離さなかった男の力が少し緩んだすきに、Ｉさんは裸のまま全力で部屋を飛び出した。彼の手から逃れると、ようやく恥ずかしさが襲ってきた。店主は告訴したいというＩさんに「ツキがなかったと思え」と押しとどめた。

私たちを訪ねてきたＩさんは、彼女が稼いだ代金の半分をピンハネする店主や、彼女のところにやってくる他の客に迷惑をかけたくないと言った。悔しさと不当性は感じるものの、生きて食べていくためには「しょうがないこと」だという。それでも、何としてもその買春者だけは処罰を受けさせたいと思っていた。Ｉさんの味わった悔しさを聞いた警察官は、それを自分がやったことのように恥じた。そこまでは運が良かった。だが、法律は最終的に彼女が経験したのは暴力でなく、性売買の取引の一部に過ぎないと判断を下したのだ。

長いこと忘れられないＪさんとは、彼女がちょうど成人になった頃に出会った。Ｊさんはカラオケ店の店主と町の住民を告訴したいとやってきた。アルコール依存症で暴力を振るう父親から逃れるため、Ｊさんは小学校も終えられずに家出した。家を出た後Ｊさんは街を流れ歩いた。「優しいお兄さんたち」が彼女に寝場所を与え、小遣いをくれた。あちこちを転々としていたＪさんがインターネットカフェで、ゲームチャットで、また路上で知り合った同じ年頃の友だちの斡旋で出会うことになった「お兄さんたち」だ。携帯電話すら持てなかったＪさんが留まる場所と出会ったすべての人が斡旋の契機となった。「お兄さんたち」は、ある時は一度きり、ある時は自分の家に連れていって何日か寝させてくれた。もちろん小遣いと寝る場所を提供しながら性関係を要求したが、Ｊさんにはありがたい人たちだった。約束した代金もくれないで暴行するような男が多かったので、少しでも保障されるセックスくらいなら当然だと思った。そんなJさんが絶対に許せないし、性暴力だと言い張った行為があった。それは代金を払わないか、何人かで同時に犯される場合だ。

カラオケ店の店主は、客からもらった代金を払うと言ってしばらくJさんを待たせた後、客が帰った後で性暴行した。また、同じ町内に住んで事業を行う中年男性三人がチケットタバンで時間チケットを切った後、一緒に入ってきて代わる代わるJさんをレイプした。彼らにとっては性売買だったが、Jさんには性暴行でしかなかった。彼女はそれに同意しなかった。

シェルターで生活し彼らを告訴した後にも、Jは「お兄さんたち」に会い続けた。「お兄さんたち」にはいつも騙されてばかりいるのに、Jさんは彼らを信じたがっていた。Jさんは寂しいからそうするのだと語った。可愛いと言ってくれ、美味しいものをおごってあげるという言葉を、Jさんは本気で信じたかった。Jさんをレイプした彼らは、自分たちが性暴力を犯したとは思っていなかった。買春者でもある彼らにとって、性売買女性であるJさんの同意などはまったく問題にならなかった。性売買というのは、それだけで性暴力との境界線を消してしまう。ある女性は力いっぱい抵抗し最後まで拒否できるかもしれないが、その抵抗はさらに大きな危険を伴うことになる。買春者が彼女たちの拒否を権利として認めない限り、抵抗は果てしなく危険で苦しいことでしかない。

ある研究によると、性売買女性に対する買春男性の共感能力は、性を買わない男性より低く、強かんやその他強制的な性行為を試みたという割合が性を買う男性により高く現れたという。インタビューに応じたある買春男性は、自分が性を買う瞬間、「女性は実際そこにいないのと同じ」だと答えた。買春者はセックスする権利を買ったと思っているのであり、セックスの相手の同意や感情などは考慮の対象にもならないのだⒶ。

性売買女性から相談され支援するということは、このような事例に繰り返し出会うことでもある。性売買という名目で括(くく)られると、買春者はあまりにも堂々としていて、「運悪く引っかかってしまった」

という表情だ。男性による買春行為を日常の権利とした今日の社会が作り上げた姿だろう。女性の身体のどこかが折れるか壊れなければ、彼らにとって性を買う行為そのものに暴力は存在しないと思っている。

性売買を労働[ワーク]とみなすべきだと主張する者たちは、性売買を合法的な契約と認め制度として保障すれば、暴力の危険性がむしろ弱まると主張する。契約条件は「コンドームをする」、「口に射精しない」など、いくつか可能だろう。だが、時間を守り、定められた体位のみを約束するからといって、性売買が安全で行うに値すること、暴力ではない正当な労働行為となりえるだろうか。これまで見てきた数多くの事例が、そうでないことを証明している。また、契約条件は誰が作るのか、性売買女性がこれらの状況をコントロールして調整できると思うのは幻想に過ぎない。多くの人びとは性売買にたずさわる女性といえば、江南のテンパーのような所で客が選別され、贅沢三昧でいつも派手な生活をしている女性の姿を思い浮かべるだろう。望まない行為は毅然と拒否し、すべての男性を見下すような女性を想像する。だが、実際の性売買は、市場で行われる商取引に近い。女性が労働者でなく商品と扱われ、一定の価値を期待する買春者が存在し、その期待が裏切られたときは容赦なく壊されて捨てられる。その過程で女性は人間として尊重されない。

この女性たちの商品価値をつける条件をサイズ▼12という。30代になると落ち目となり、少し太っていても、背が低くても、バストが大きくても小さくても、そのすべての条件が買春者にとってサイズをつける基準となる。値段によってサービスの内容が変わり、あまり売れなくなった商品は限りなく割り引かれ、要求されるサービスの強度は高まるばかりだ。ある女性は顔に枕を抑えつけられたまま、「お前みたいのとセックスするなんて」と言われながら性交された。恥辱感は苦痛より強く、今でも彼女は買春者の名前と顔を覚えていると語った。彼女たちが商品となるこの市場に、人権はありえない。買春者の人格も、性売買の女性の人格も、ここでは代金を支払った瞬間に消えてしまう。

性売買と性暴力は、同一のルールを有する。それは「力による性的支配」だ。その力とは、あるときはカネとなり、あるときは腕力になるが、結果的な現象はカネで、または腕力で、相手を屈服させ支配しようとするものだ。この市場において男性が買うものは「性欲排出」の機会などではなく、自分の性欲のために相手を支配しようとする欲望を実現することだ。性売買の瞬間、「女性はそこにいないのと同じだ」とうそぶく買春者の言葉どおり、性売買の現場に「女性」はいない。そこに存在するのは商品だけだ。そうして商品となった人間が経験するすべての暴力は、性暴力ではない何かにされてしまう。

性売買女性たちが「楽に稼げるカネ」

数年前、ある女性が「オフィステル（ＯＰ）▼05性売買」で1億ウォンを貯めたことをSNSにあげ話題になった。彼女は通帳残高の写真と「あと２００万貯めれば、やっと1億になるわよ」と書き込み、それを見た多くの人が怒り、脱税疑惑と捜査を求める声が高まった。結局はこの女性を雇い莫大な利益を得ていた20代の性売買業者が逮捕されたのだが、事件の背景には「ＯＰ▼05協会」を作った性売買の斡旋業者と、業者が隠れ蓑にしていた雇われ社長たちがいた。協会に所属せずに営業を続ける別のライバル業者を通報し、自分が取り締まりに引っかかっても表向き雇われ社長を押し立てて営業を続けてきたオフィステル性売買の斡旋組織だった。

ちまたには、「何も要らない、女性であれば楽に稼げる」という大量の求人広告があふれている。そうした広告につられ、性売買に入り込んでしまった女性もいるだろう。性売買流入のきっかけは個人の数だけ存在する。ここで「楽に稼げる」という意味は何なのか。この広告には女性が女性という理由だけで、簡単にカネが稼げるという不合理性がとぐろを巻いている。買春者が楽しむためにカネを払っているその「仕事」を、女性たちはカネを稼ぎながらやっているというわけだ。文字通り女性だという理由だけで楽しみながらたやすくカネも稼げるなら、誰もがその「仕事」を喜んで選択するだろう。しかし現実はどうだろうか。多くの性売買経験のある女性たちは決してその場に戻りたくないと言う。さらに大多数の性売買女性ができることなら、この「仕事」から抜け出したいと言っている。そして、すこぶる平凡な人生を送りたいと語る。私たちはその理由を知っている。しかしこの社会が、そして社会の構造が女性たちの望みに背を向け見ようとしないのだ。

ほとんどの女性がお金に切羽詰(せっぱつ)まって性売買を始めるが、実際この「仕事」は多額の費用がかかる。緊急な状況のもとで性売買を始める彼女たちに、先にお金を払ってあげるからという斡旋業者の誘惑は強い。彼女たちは市場で選択されるために、すぐに着飾るために、カネをかけ結果的に借金を背負ったまま、この「仕事」を始めることになる。この出費は想像以上のもので、多額を稼げるという高級クラブなどではさらに費用がかかる。毎日着替えるための高額のドレスや完璧なまでに手の込んだ見栄えのする身なりを整えるための費用は無論

写真12◉
大邱の性売買集結地チャガルマダンの性売買店の裏側の空き地の洗濯ロープに夜中に買春客が使ったタオルが干されている様子
〈2016年著者撮影〉

だが、店が性売買のセッティングのために負担する部屋代や各種の材料費、あげくの果てはコンドーム代まですべて女性の負担となる。

何も持たずに性売買に流れ込んだ女性はこれら全部を借金として抱え、「仕事」を始めることになる。必要な生活費は毎週仮払いを受けるのだが、この「前払い」をもらうときは、その費用が数万ウォン足らずであっても店主に頭を下げるしかない。これが日常ともなれば、店主との上下関係はおのずと決まってくる。このような状況を作った店主らは、彼女たちを道徳的ではないと見下す。不当な費用の転嫁や誤った営業方式は、交渉にさえならない。

彼女たちは、つねに着飾るためにカネをかけ買春者の目に留まる最高の商品に見せようとするので、一般人は女性たちの外見だけを見て判断する。だが実際には、彼女たちは前払金や利子などに押しつぶされそうになりながら、さらに費用がかさむので結局「二次」［性売買］をやらねばならない状況に追い込まれる。テーブルサービスの料金だけでは遊興酒店でかかる費用に充てられない。すでに店主から前払金をもらっているので、昼でも夜明けでも店主が二次に行けと言えば拒否しにくい。そうやって二次に行っても、女性本人に戻るカネはそれほど多くなく、問題があるのではと意見を申し立てるとか、改善すること自体が不可能な構造になっているので、いっそ早くカネを返してここを出ようと、さらに熱心に二次に行くという悪循環に陥る。

このような状況で彼女たちが毎日相手にしなければならないのは、「接待される」ために訪れる買春者たちだ。露骨に今日こそ「モトを取る」と張り切る買春者に嫌がる様子をさとられないように女性たちができることは、買春者が言いがかりをつけずに早く終わらせることを願うだけだ。懸命に稼ごうと踏み入れたこの市場で、彼女たちはさまざまな不条理に押しつぶされそうになりながら、費用の支出と前払金の悪循環のなかでずぶずぶと泥沼にはまっていく。

コントロールの構造——前払金

前払金についてもう少し見てみよう。一般的に性売買女性たちの状態を「借金奴隷」のようだという。性売買の店で働くことを条件に、働くために必要な経費を含め当面急ぎの費用を女性たちに前もって払うカネを、通称「前払金」★07という。時間が経てば経つほど罰金や利子がかさむ前払金は、店を移るごとに女性たちの「値札」となる。また、女性たちが店から逃げ出したとき、店主が女性たちを詐欺罪で告訴できる口実ともなる。2000年代の初めまでの詐欺告訴事件の70パーセント以上が前払金関連の詐欺事件だったので、これは大きな問題となっていた。遊興酒店、タバン、紹介業者、サラ金、貸金業者、「銭主（前払代行業者）」▼15など、前払金を提供する者は多種多様だ。つまり、前払金は店主が性売買女性をコントロールする主要な手段となっている。この前払金を利用したコントロールは性売買の斡旋構造の核心的内容で、その歴史は長い。

そのときにも遊廓での生活に耐えきれずに逃げ出す娼婦たちがいた。逃げれば警察が網を張っていて全国に手配され結局は捕まってしまうが、いったん捕まると詐欺罪で懲役刑を言い渡された。カネを受け取って体を売ったなら、借りたカネを全部返すまで遊廓の主人から言われた通りにすべきで、それに耐えきれず逃げたら詐欺罪になるという現代の常識では到底納得できない制度が公娼制度だったのであるⒷ。

常識ではとうてい納得できないことが慣行になっていた。2000年代初めまで店主の言うなりで前払金の値段が決まった。彼女たちが見てもいないカネが彼女たちの借用証に書かれた。仕事を始める前に決められる宿舎と、部屋の家具や生活用品など、すべてを店主が勝手に準備し、

★07 **前払金** 歴史的に日本の朝鮮侵略・植民地支配の過程で移植された日本式公娼制に登場する「前借金」にルーツをもつが、現代の韓国では「前払金」と呼称している。本書第2章参照。「前払金」と称しながらも「前借金」の性格が強い。裁判などで「前払金」の性格については議論がある。

前払金を計算したとして借金を課した。あるときは女性が死んでこの世にいないのに、借用証と公正証書をタテに、女性の遺族にカネを返せと訴状が送られたケースもある。

こうした前払金は種類もさまざまで知らないうちに積み上がっていくため、女性がこのような構造をある程度知っていて性売買を始めるとか、おかれた現実をすぐに理解したとしても容易に抜け出せるわけではない。自分さえうまくやれば、あるいは少し我慢すれば、おのずと問題が解決され性売買を辞められるだろうと信じて、この「仕事」に足を踏み入れる。しかし、現場の証言によると、それは不可能なことだ。

例えば、ある女性が自分の前払金は充分返済し、いつかは仕事を辞められると思って始めたとしよう。だが、彼女はある瞬間、同僚の前払金の連帯保証をすることになり、体調をくずして何日間か休むと欠勤の費用が重なり、買春者の機嫌を損ねたという理由でテーブルチャージを押し付けられ、このような支出で家賃も払えなくなってしまう。あちこちに掘られた落とし穴が点在するこの市場で、借金はみるみるうちに膨れ上がり、最後にはその金額さえも分からなくなる。本人がその債務者である場合には返した金額も分かるし、不法原因給付［不法な原因によって発生した財産や労働の提供のこと］に対する無効を主張することも可能だが、一緒に働く女性同士や家族、友人の連帯保証人になった場合には、それすらも簡単ではない。こうするうちに、辞めようとした決心はずるずると遅れ、ほとんどの女性が未来は来ないと悟ることになる。性売買にはまり込むしかなかった生活環境に加え、この「仕事」による被害が上乗せされ、時間が経つほど彼女たちを縛った縄はより硬くなる。

前払金は仕事をすることを約束して支払われた金銭なので、女性が定められた場所で仕事をせずに脱出しようとすれば、店主は債権者としてどこまでも追いかけ、誰であっても相手を脅す。とりわけ前払金の連帯保証人になった周りの人たちが主な管理対象となる。法によれば、性売買の店で仕事をすることになった条件そのものが違法なので、これを口実に渡した前払金は原因無効の債権となる。だが現実は、女性たちがこれを主張するのは困難だ。実際に多くの人が店主の立場で語る。「借金は返すべきだ」、「店主も当然受け取るカネがあれば、そうせざるを得ないだろう」。これがまさに、前払金と連帯保証、性売買市場が構造的に女性に借金させる目的だ。これにかこつけて店主は、女性に性売買を強要する「権利」を有することになる。

性売買の斡旋業者らは、女性に対するコントロールをこともなげに行い、彼女たちが容易には抜け出せないように二重、三重の管理体系を備えている。もっとも代表的なのが紹介業者と性売買店主との関係だ。通常、駅周辺などに作られていた古くからの紹介所から、最近の手引き屋、サラ金業者、「マネージャー」などと呼ばれる業者が女性たちを斡旋する。このように女性たちの弱い立場を利用して性売買を斡旋し、借金を上乗せしながら自らの管理下に置くという行為は、人身拘束に当たる人身売買のひとつの形態だ。紹介業者はひとりの女性をさまざまな業者に紹介し、毎回手数料を計算して、これをすべて彼女の借金に仕立て上げた。このような管理体系の重層構造が借金を雪だるまのように膨らませる。合算された前払金が多額になると「これ以上は受け入れる所がない」という理由で、性売買集結地などもっとひどい条件の店や海外に行かせようとする。今となれば昔の話のようだが、「島に売り飛ばす」というのは最も恐ろしい脅しだった。

行き場がなくなって性売買の市場に流れ込んだ10代女性は、どうだろうか。彼女たちは、まだ自分たちが「性売買をする」とは思っていない。今の瞬間を生きるため、小遣い稼ぎのため「何回か」やったが、自分たちは「性売買で食べて行く成人女性」とは違うと思っている。だが、彼女たちにも借金の悪循環はそのまま降りかかる。ほんのちょっとと思っていた「ちょっと」は、成人になった後でもその場に留まることになり、長い間その場にいた50代、60代の女性たちは「そうやって生きているだけ」だ。当面の食事のことを心配し、遠くを見渡せないまま、そうやって生きていく。

最初からやるべきではなかったとか、初めに前払金を受け取ってはいけなかったという人もいるが、もともと性売買に入り込まないような環境をつくるのは、その女性個人ができることではない。「脱性売買」も同じだ。「そんなに大変なら辞めればいいじゃないか」という声は、このような構造的問題を個人の責任に押し付け、性売買の女性たちにもう一度レッテル貼りをするものだ。むしろ投げかけるべき問いは次のようなものだろう。これほど多くの社会的不正を生み、女性の個々人にも莫大な被害を負わせる性売買の需要をどのように遮断すべきなのか。

借金、奴隷化、暴行

借金で奴隷状態になった女性たちを罪人のように扱い意のままに動かす斡旋業者たちは、物理的な力による暴行もためらわなかった。２００４年の性売買防止法施行後、このような暴力は少し影を潜めたと聞く。現場の女性たちが体感する変化は、２００４年頃までは暴力がより組織化されていたということだ。社会が増長し放置した性売買市場では、まるで暴力さえも許されていたかのようだった。紹介業者たちは、水を入れて凍らせたペットボトルで10代の女性たちを殴打した。傷やあざが残らないようにするためだ。暴行する際には傷が見えないように頭を殴り、逃げた女性を捕まえると道路で髪を掴んでズルズル引っ張りまわした。交番の向かいの店で働いていた何人かの女性が店主の暴力と暴言から逃げ込み、助けを求めたことがあった。その店主は仕事が終わった時や休みの日には彼女たちに自宅の家事や雑用をさせ手足を揉ませるなど、まるで奴隷のように女性たちをこき使った。明らかに女性たちは暴力によりコントロールされ、これは共同体社会の黙認により可能となった。

性売買防止法後は減ったとはいえ、斡旋業者や買春者の暴力や脅迫は現在進行形だ。店主や紹介業者が暴力団だったり暴力団と結びついたりしていて、地元の有力者や権力層と親しい事実も女性たちを締め付ける。店主が手にしたすべての有形、無形の力の前で女性たちは恐ろしさと無力感にさいなまれる。店主がこのような恐怖を積極的に利用するのは当然だ。店主らはいつも自分たちの力を知らしめる。気に食わなければ容赦しないという暗示をちらつかせ、女性たちを自分たちの管理下に置く。

そうした威力のもとで生きてきた女性たちは店を出た後でも長い間、悪夢にうなされる。「どこにいるのか知っているから早く戻って来い」、「戻って来なければ親に知らせるぞ」、「学校に通報するぞ」、「連絡がなければどこまでも捕まえに行くぞ」というメッセージで脅すのは、まだ上品なうちだ。なかでも「家族がどうなるかわかっているのか」というのは最大の恐怖を与える。店主から逃げてきた女性たちは、家族が本当に仕返しされるのではないかと恐ろしがる。実際に店主が女性の家族のもとに行って脅迫するのは、一度や二度ではない。こうしたことは、性売買の店周辺に広まる噂となり、残った女性たちの心理的な監獄となる。

暴力と殺害に無防備な「市場」

性売買女性たちは、身体で評価される。彼女たちは「当然」痩せていて、セクシーでなければならない。彼女たちの身体は、彼女たちが「仕事」により得られる収益と待遇において決定的であり、事実上唯一の要因でもある。したがって薬物や手術をも動員し「ふさわしい身体」を維持しようと努力するのも、当たり前のことだと思っている。彼女たちは中毒性が強く副作用が多いといわれるダイエット薬を飲み、繰り返し整形手術をする。身体への嗜好が身分となる社会ではそれが唯一の資本でもあり、また認められる手段でもあるので、性売買女性たちにとっては生存の問題だ。

現場で出会う性売買女性たちは、性売買を強かんだと断言する。また、買春者はふだん彼がどんな人間であれ、その瞬間はただのケダモノになると表現する。買春者を相手にするのはつねに全身を緊張させる必要があり、そんなわけでいつも体調が悪い。私の出会ったチャガルマダン[★08]の女性たちは商品としての身体を準備しようとして具合が悪く、その体を商品として使用してさらに状態が悪くなった。避妊薬を常時服用して生理が止まり、昼と夜の境のない生活で早めに閉経して不眠症になってしまった。彼女たちはめちゃめちゃになったバイオリズムのせいで、睡眠薬がないと眠れなかった。不眠症だけでなく、ほとんどの性売買女性にあるのは、うつ病の症状だ。彼女たちは何度も自傷行為と自殺を試み、本当に自殺してしまったケースも少なくない。

手の甲から肩までリストカットの刃物傷が両腕にぎっしりあった10代の少女や、手首に傷を持った多くの女性たちに出会った。彼女たちは自殺したり、殺されたり、あるいは消えてしまった同僚について語った。精神障害と深刻なうつ病の人たちや、首を吊ったり、薬を飲んで自殺を試みたりした人たちが多かった。そのような話は、とめどなく続いた。

性売買女性たちは、性売買という「仕事」による暴力性のせいでトラウマを負い、その後は心的外傷後ストレス障害(PTSD)に陥る。命の危険を感じたり他人の危機的状況を目撃したりして衝撃を受ける経験を「トラウマ的出来事」というのだが、強圧的かつ暴力的な状況下でトラウマ的出来事が長期間繰り返される場合は「複雑性PTSD」を発症する。人間は慢性的なトラウマにさらされると心や衝動を調節しにくくなり、その結果薬物依存に陥りやすい。学習性無力感は、慢性化したトラウマによる代表的な症状だ。このような症状をみせる彼女たちは持続的なトラウマ経験にまるで適応したかのように見え、危険から安全な環境に避けられる瞬間でも健康的でない人間関係や環境に居残ってしまう。性売買集結地の女性たちを対象にした研究では、性売買女性の60・7パーセントがPTSDに、42・9パーセントが複雑性PTSDと診断された。低年齢で性売買に流れ込み、性売買の期間が長いほど、その深刻さは増していく[C]。

性売買は、その「仕事」をする女性を精神的、身体的に侵害する。このなかで背負った症状が逆

★08 **チャガルマダン** 大邱市の性売買集結地。2019年末に閉鎖された。

に彼女たちを性売買に縛り付ける。また性売買を始めた彼女たちが経験するのは、社会的キャリアと人的ネットワークからの断絶だ。性売買関連業者たちに取り囲まれた関係の中で孤立する彼女たちの社会的リソースは貧弱化する。このようなキャリアの空白と社会的孤立の中で恐怖はしだいに大きくなり、時間が過ぎて「脱性売買」を切に願うようになるほど、足を洗うのが難しくなる。たいていの性売買女性が「他の人たちのように平凡に暮らしたい」と言う。彼女たちが「平凡」という実体のない理想から言いたいことは、性売買をしなくても良い生き方だろう。

整形手術をしたとか、ブランドバッグを買ったといって性売買女性たちに後ろ指を指すような者たちは、そうした女性たちを「権力者」だと称する。この嫌悪と非難がたくらむイメージはあまりにも実像とはほど遠い。性売買の市場で実際にカネをかき集める業者たち、新鮮なサービスと刺激的な性の遊戯を探し続けカネをばら撒く買春者たち。性売買を構成しているのは彼らだ。彼らの需要が性売買の市場をどん欲に転がしている。女性をかき集め買って売り、跪(ひざま)づかせて暴行する者たち、暴力と殺害に無防備な市場を作り上げ、「身ひとつで楽にカネを稼いでいる」と後ろ指を指す、一体彼らは何者なのか。

韓国の性売買
SCENE 04

2017年「エイズ性売買女」、その裏

２０１７年10月19日、「エイズ性売買女」というキーワードの記事がネットに溢れた。それは「26歳の女性がエイズにかかったことを知りながら性売買を行い、避妊具も使わなかった」という内容だった。さらに彼女は２０１０年に性売買で検挙された前科があったが、すでに当時エイズに感染した状態だったというのだ。

確かに記事にはいろいろ問題があった。その女性はＨＩＶウイルスに感染した状態ではあったが、保健所の持続的な管理のもとで投薬治療も行っていたので「エイズにかかった」とする表現そのものが不適切だった。また「エイズ女性」という表現は、ＨＩＶウイルス感染者に対する嫌悪と偏見のまなざしをさらに強めるものだ。ＨＩＶウイルスに感染したとしても抗ウィルス剤を服用し続けている感染者は、ウイルスを他人にうつす確率は激減する。関連団体によると、「薬を飲んでいる患者の感染力は統計的にほとんど無いに等しいレベル」だ。だからこそ薬を飲み続けきちんと治療しているＨＩＶウイルス感染者は、期待寿命が一般人とほぼ同じようになっている。それにもかかわらず、記事には「エイズ性売買女」、「7年前にも感染を隠して性売買」というタイトルを載せ、当該女性に対して一方的に嫌悪と非難を集中させた。

何よりもこの記事の裏には、もっと大きな真実があった。２０１7年当時26歳だった彼女は7年前、つまり19歳のときＨＩＶウイルスに感染した状態で性売買を行って検挙された。すでに、10代で性売買の世界に足を踏み入れ感染させられたのだ。彼女は知的障がい3級で、知的能力と社会への適応力が小学校1年生レベルであることがわかった。彼女のボーイフレンドがチャットで買春者

を探し、性売買をするよう斡旋して生活費を稼がせていた。この事件が最初に記事になると釜山地域の団体が緊急介入を行い、被害女性をサポートして状況が知られるようになった。その後、この事件は2018年1月にSBSテレビで「気になる話、Y」という番組で放映された。

彼女が7年前19歳のとき、そして26歳になったとき、彼女を「買った」者たちはどんな人物だっただろうか。知的障がいのある10代の女性にも「この子も同意した」として、「ノーコンドーム」を叫んで性を買う彼らは、その女性を買春者である自分の前に連れてきた斡旋者の存在は知るよしもなかったのだろう。

「犬畜生で、人間じゃない。あんなゴミみたいの他にいない。私もゴミだと思うけどさ。あんな家で育った私もゴミみたいなものよ」。自分が育った環境をこう表現したLさんは、近親者による性暴力の被害者だった。都心のはずれで貧しい幼年期を過ごしたが、貧しさよりもひどかったのは母親の不在中に襲った親族の性暴力だった。その家から逃れるために寄宿舎のある産業高等学校に行くことにした。卒業して宿舎のある職場を探したが、ボーイフレンドがLさんをタバンに紹介し前払金をもらって姿をくらました。それから2018年まで、ほぼ10年を性売買の店で過ごした。

小説『ポンスニ姉さん』★09の主人公は自分と同じだったと語るMさんは、10歳ころに両親を亡くして親戚の家で暮らすようになった。学校にも通わせてもらえず、家事を全部やらされ、何かあるとすぐ殴る親戚から逃れて、彼女は養護施設に駆け込んだ。高校も卒業し就職もした。だが、工場が倒産

★09 ポンスニ姉さん 韓国の女性作家コン・ジヨン（孔枝泳）による自伝的小説。

してしまいアルバイトでは生活費をまかなえず、どこにも助けを求められなくて宿舎を提供してくれるという性売買の店に行った。

貧困で何のリソースもないまま子ども時代、10代を送った女性たちに対し、社会はセイフティーネットを提供する代わりに、ジャングルに捨てられたエサのように彼女たちを扱う。社会の底辺に追いやられた10代女性たちは、ジェンダー暴力により孤立させられたまま、セイフティーネットのカバーされない生活を転々として路上でふたたび性暴力にさらされ、ついに性売買の店をそれでも同僚のいる安全な場所、同じ暴力でもお金が稼げる所だと思うようになった。絶望的な状況におかれた彼女たちにとって、性売買が唯一の選択肢となるような社会構造であってはならない。

しかし、これはたんに一国の国境内で解決できる問題ではない。性売買の市場は相対的により貧困でより脆弱な状況の女性たちで満たされることになる。ドイツとオランダの合法化された性売買市場が自国では供給されない女性たちを移住女性で代替するように、すでに韓国もそうなってきている。性売買女性個人を悪魔に仕立て上げて指弾し、なぜ性売買をするのか女性に問いただすのは、無意味なことでしかない。巨大な性売買市場をどのように減らし、全体構造そのものをどうやって変えて行くのかを問わねばならない。否、答えねばならない。

第4章　原注

❹ *Neil Malamuth etc, the Journal of Interpersonal Violence, 2015* ……………………

❺ 孫禎睦（ソンジョンモク）「公娼（遊廓）が廃止された過程」『都市問題』第37巻5号、大韓地方行政共済会、2002

❻ イ・ジミン、ホン・チャンヒ「性売買女性の複雑性外傷後ストレス障害」『韓国心理学会誌：相談と心理治療』2018、vol.20 No.2、553〜580ページ

第5章

世界の性売買

どの国をモデルとすべきか？

性売買の合法化を主張する者たちは、次のようにこぞって叫ぶ。「性売買は完全に自由化すべきだ。そうすれば、むしろ性犯罪も減り、キチンと管理もできるし、女性たちも権利を保障される」。そして、しばしばドイツやオランダ、ニュージーランドがそのモデルとして挙げられる。

性売買の関連制度は国により大きく異なり、その実態もまた社会的脈略によって違いがある。同じように性売買を禁止する制度があったとしても、その制度を成立させた価値と立場は著し

★01 **フェミサイド** 世界保健機関（ＷＨＯ）によれ

く異なることもある。たとえば韓国と日本は両国とも性売買を禁止する国として分類され、同時に巨大規模の性産業マーケットが存在する。だが、実際の処罰の範囲やそのやり方は、大きく違う。

ブラジル、メキシコ、アルゼンチンなど中南米諸国では、ほとんど個人間の性売買は処罰されず、その市場規模も大きい。また、多くの中南米諸国は貧困や麻薬のような社会的問題に加え、フェミサイド[★01]と人身売買が深刻な状況にあるが、女性の人権や性売買については論議の対象にすらなっていない。東南アジアはほとんどの国で性売買を禁止している。しかし、貧困層の性搾取と児童の人身売買は深刻だ。法的処罰を強化しているが、腐敗が横行し公務員や警察、業者との癒着や不正がひどく、立ち遅れた経済などにより性売買は減っていない。経済成長を追求し金銭がすべてを左右するような社会では、新自由主義的市場と貧困、性差別的文化が結び付き、性売買市場を育てている。このような現象は、市場の自由を追求する中国本土や香港などでも同じように起きている。

法と制度はその社会の価値と指向をみせるというが、それは当該社会の実際の状況と比較してこそ意味がある。世界の多くの国々が人権と平等の価値を求め、自国こそが民主国家だと謳う ものの、それぞれの国の状況はあまりにも違う。法律が奴隷制と人身売買を許しているから、これらが根絶されないわけではない。共同体が実際に何を実行し努力するのかがより重要だ。長い間、韓国の堕胎罪[★02]は違法とされてきたが、韓国社会では実際にそのような法の存在を意識すらできなかった。女性と男性の出生性比の不均衡が問題とされた時期、女児を堕ろすことは「国家的現象」だった。[★03]妊娠8カ月であっても女児であることが分れば、中絶していた時代があった。堕胎罪は存在したものの、望まない妊娠の責任はすべて女性たちに押しつけられた。息子を生まなければならないという差別意識が選別的な女児堕胎を煽ってきた。そうして女性たちの長い闘いの末、2005年に家父長中心の身分登録制度である戸主制が廃止[★04]され、その後に続いて出生率が

ば、フェミサイドとは女性であることを理由とする意図的な殺害のことであり、男性（配偶者または元配偶者などを含む）による犯行がほとんどである。

★02 堕胎罪 2021年1月に無効化されたが、それ以前の韓国刑法では第269条（堕胎は、1年以下の懲役か200万ウォンの罰金）と、第270条（医師などによる堕胎は、2年以下の懲役）などとされていた。その起源は、1912年に日本の刑法堕胎罪が植民地朝鮮に適用されたことにさかのぼる。

★03 「国家的現象」だった 出生児の性比は通常、女児を100とすると男児は106前後だが、1990年代に韓国では胎児の性鑑別検査法などが発達したことを背景に男児の出生比率が過度に高くなり（1990年116・6、1995年113・2）、社会問題になった。現在は通常の性比になった。

激減すると堕胎罪を問う声が大きくなった。まるで女性たちの不道徳と生命の軽視のせいで、堕胎が繰り返されているというような厳しい声がわきあがった。2019年に堕胎罪の違憲決定★05が行われたが、闘いは終わっていない。★06悪法はいつでも復活しうるのだ。だが、当然めざすべき価値が込められた法律であれば、変化をもたらす土台になるだろう。

合法 vs 違法の論争

性売買関連法と制度を語るとき、話題にのぼる国々は主にヨーロッパ諸国だ。つまり法と制度がそれなりに機能していて、最小限の人間らしさを保障する福祉体系が整備された国々だ。このような基本的社会システムの下支えがあってこそ、女性の人権を糸口として性売買に関する社会的対話が可能だ。また、このような過程を経て法と制度を整備してきたので、ヨーロッパ諸国の状況は参考になりえる。なかでもドイツとスウェーデンは性売買の関連制度で同じ目的のために正反対の制度を施行したので、その結果については大きな関心が寄せられた。2002年、社会民主党が政権を握ったドイツは、性売買の全面合法化に踏み切った。一方、これに先んじて1999年、スウェーデンは性売買女性を非犯罪化し、買春者を処罰する買春罪(「北欧モデル」)を施行した。これは「新廃止主義★07」とも呼ばれる。

ヨーロッパは自由な市場秩序と民主主義が制度的に定着した20世紀の半ばから、性の道徳的規制として性売買女性を処罰していた性差別的な家父長制から脱却し始めた。性のタブーを捨て去り、個人の自由な決定を尊重する方向へと変化していったのだ。性売買を肯定しないものの、国家が個人に対する行き過ぎた介入は行わないというのが基本的な前提だった。だが、性売買の斡旋、つまり性売買を勧誘する行為とこれを行う業者らは、依然として処罰の対象とされた。1990年代初めまでジェンダー平等、人権、福祉をある程度制度的に定着させた国々では、性売

★04 戸主制が廃止 韓国の家族法の根幹だった戸主制度と戸籍制度は、そもそも日本による植民地政策の一環として朝鮮に導入され、植民地解放後の韓国で制定された民法に引き継がれたものだ。韓国の女性運動は半世紀にわたって保守・進歩をとわず、戸主制度の撤廃をめざす家族法改正運動を繰り広げた。韓国憲法裁判所は2005年2月、戸主制度に違憲判決を下した。これは「民法」第778条、第781条第1項本文後段、第826条第3項本文78が憲法に合致しないと判断したもので、戸主制度は男女差別的で個人の意思決定権を阻害しているとした。国会では2005年3月に民法改正案を可決、2008年には家族関係の登録に関する法律が施行、戸籍制度は廃止されたので、戸主基準に作成されていた戸籍簿に代わり、個別な登録簿に個人を記録、管理するようになった。

買を大きな社会問題とすることはなかった。

1990年代初め、旧ソ連の崩壊により東欧諸国が社会主義から離脱して、ヨーロッパの構図は変化した。多くの経済難民が西欧へと向かい、貧困な移住女性の性売買も増えていった。経済共同体を標ぼうする欧州連合(EU)に加盟した東欧諸国の国境が崩れるにしたがい、このような傾向は加速していった。2010年にイギリスのBBCは、EU諸国内で性売買に携わる移住女性の70%が東欧諸国出身の女性だと報道した。2000年代初めまではロシアとウクライナの女性が多かったが、その後は新たにEUに加盟したルーマニア、ブルガリア、ハンガリー出身の女性の割合が増加した。これらの国々から性売買に流れ込む移住女性が多いのは貧困のせいだということは、改めて言うまでもない。

このような状況を女性の人権問題として認識し、制度変化を念頭に[冒頭に述べた]大きく二つの流れの論議が生まれた。まず、性売買を女性に対する暴力として規定するという主張と、次に性売買を処罰するのは女性に対するスティグマを強化することになるので、これを「労働」と認め性売買女性が自ら権利を打ち立てられるようにしようという主張(セックスワーク論)だ。性売買に対する法的立場だけを基準にするなら、大きく禁止・廃止と許容に分けられよう。しかし、この2つの立場はさらに完全に相反する価値基準のもとで細部の系統に分けられる【表2】★08。

まず、性売買を禁止または廃止する立場には、性道徳的観点と女性の人権という二つの対抗的な価値が存在している。性道徳的禁止主義では、性売買を性的堕落と決めつけ、性売買行為が社会の公序良俗を害するとみるので、性売買に関連したすべての者を処罰する。代表的な国は米国だⒶ。日本もこの性道徳的禁止主義に入ると言える★09。ただし、日本の「売春防止法」では「売春」も「買春」も禁止しているものの、「買春」については全く処罰規定がない。同法が処罰の対象にしているのは、性売買斡旋業者と第五条に違反して「売春」目的で勧誘などをした者である。そして、

★05 堕胎罪の違憲決定 2019年4月11日、韓国の憲法裁判所は産婦人科医が提出した刑法第269条、第270条の憲法訴願・違憲法律審判事件で、「憲法不合致決定」を言い渡し、2021年1月から法の効力を失った。しかし、これに対する後継立法がなされていない。

★06 闘いは終わっていない 韓国女性団体連合のホームページには2020年12月14日、「みんなのための堕胎罪廃止共同行動(モナクペ)」の声明、「文在寅政権は堕胎罪のない2021年を準備せよ!」が掲載されている。ここではモナクペが憲法裁判決後にも妊娠中止の非犯罪化のために声を上げ続けたこと、今後も闘い続ける決意が込められている。モナクペは女性団体だけでなく、進歩的な医師団体や健康関連の市民団体、人権団体や労働団体などが加入し闘いが続いている。

【表2】

類型		主な特徴	代表国
性売買禁止／廃止＊	性道徳的禁止主義	・性売買は公序良俗を害する性的堕落だとみる。 ・性売買斡旋業者、買春者、性を売る女性をすべて処罰	米国（ネバダ州を除く）
	新廃止主義【北欧モデル】	・性売買を女性に対する暴力として規定 ・性売買斡旋業者、買春者を処罰するが、性売買女性は処罰しない ・脱性売買支援	スウェーデン、カナダ、フランス、ノルウェー、北アイルランド
性売買許容	合法的規制主義	・性売買業を合法的経済活動とみなして、法的・制度的規制とルールを適用 ・性売買女性を店と同等な契約関係を結んだ個人事業者とみなす	ドイツ オランダ ニュージーランド＊＊
	非犯罪主義	・何の規制もせずに性売買斡旋業者、買春を非犯罪化する ・性売買の完全非犯罪化	アムネスティ・インターナショナルの主張

＊　韓国では、性道徳的禁止主義と新廃止主義が矛盾しながら混在している。つまり、「性売買斡旋行為等に関する処罰法」「性売買処罰法」は性売買者女性を「被害者」と「自発的」な「行為者」に分け、前者は処罰しないが、後者は処罰し、「性売買防止および被害者保護に関する法律」「性売買防止法」では性売買女性（性売買「被害者」と自発的な性売買「行為者」のいずれも性売買被害者と規定）全員を保護、支援するようにしている。

＊＊　ニュージーランドは非犯罪主義の事例に挙げられることがあるが、現行法では性売買業の登録と営業場所の制限やその他の義務、違反時の処罰規定を設けている。

★07　新廃止主義　廃止主義（Abolitionism）とは公娼制度を廃止し斡旋業者を処罰するが、買春者を処罰せず性を売る女性への道徳的批判を克服できていない（日本の売春防止法も入る）。こうした限界を乗り越えたのが北欧モデルであり、新廃止主義と呼ばれる。

★08　【表2】　同表・本文は著者独自に性売買政策の現状を分類したものだ。歴史的にみると、性売買政策には禁止主義・規制主義・廃止主義の3つがある。本書小野沢による解説参照。

★09　日本も性道徳的禁止主義に入る　著者の見解であるが、日本の売春防止法は廃止主義に入れるのが一般的である。詳しくは本書小野沢による解説参照。その一方、「風営法」によって斡旋業者は実際には黙認され、半ば「公然」と営業している。

第五条に違反した女性は補導処分の対象になる場合があり、「補導」という名目で女性を強制収容できる反人権的な内容が含まれている。一方、女性の人権レベルで性売買を女性に対する暴力と規定している国々がある。代表的なのは北欧モデルだ。これは斡旋業者と買春者のみを処罰し、性売買女性は処罰せず性売買に流入する条件となる貧困や差別、暴行などから保護し、性売買から抜け出せるようサポートするというものだ。

次に、性売買を法的に許容しようとする立場には、合法的規制主義と非犯罪主義がある。合法的規制主義は性売買業についても他の経済行為と同じように、さまざまな法的、制度的な規制を整備しようとするものだ。ドイツやオランダなど性売買を労働として認めている国々では、女性たちが業者に雇用され従属させられるのではなく、個人事業主として建物を所有している業者やエージェンシーなどと対等な契約関係を結ぶとみなす。これらの国々ではこれを前提として、地方政府が性売買事業所の営業可能な区域を設定したり、税金をかけたりするなどの規制を行うようにしている。一方、非犯罪主義は、性売買を認め、これに対するあらゆる規制を取り払おうとするものだ。２０１５年にアムネスティ・インターナショナルは性売買女性の人権のためという趣旨で、性売買の完全非犯罪化を団体の政策とした。性売買を合法化しても規制が作られれば性売買女性の人権が脆弱になるので、性売買についてはいかなる規制も行わないということを要求する立場だ。

韓国もまた、依然として性道徳的立場から性売買をとらえる観点が強い。純潔を命より大事にし、強かんが「貞操に関する罪」だった時代の考え方は少しずつ変わってきているものの、一般社会では今でも性売買女性を道徳的に裁くのに慣らされている。

「退廃」や「風紀の乱れ」を理由に性売買を禁止しようとする者たちや、「性暴力を抑制するため必要な下水溝」として公娼制が必要だとする者たちも、すべて性売買を性道徳の枠組みでとらえている。これは、女性を聖母マリアと娼婦マリアに二分化して統制しようとする考えだ。ジェンダー平等の面ではるかに先進的だといわれるヨーロッパ諸国でも、依然としてこのような宗教的な性の保守主義から自由ではありえない。「性売買女性は堕落した女性」というスティグマとの闘いは、キリスト教が基盤のヨーロッパ諸国でも現在進行形となっている。

性差別的社会では性売買の許容も禁止も、性売買女性に対するスティグマと嫌悪につながっている。この性差別の枠組みそのものが、女性の人権レベルの政策論議を妨げる明白な限界でもある。そして、これが2000年代初めの韓国で「性売買防止法」制定を要求した女性運動のジレンマでもあった。スティグマと嫌悪を終わらせるための性売買禁止主義の政策が性道徳主義にとらわれた社会認識と相まって、法案はあいまいな内容のまま修正され採択されてしまった。★10

合法化以降の現実――ドイツ

ドイツは、2002年に人身売買を減らし性売買女性たちの処遇を改善できるという期待と目標をもって、性売買を合法化した。保守的な見方で性売買女性にスティグマを押すような差別的観点と処遇を是正し、彼女たちが労働者として社会福祉の恩恵にあずかれるよう、多くの人たちが法制定の意義に支持を送った。当時はフェミニズムの観点からみても、これは歓迎されるべきこととして受け入れられた。

ドイツの性売買合法化の骨子は、性売買の取引と性売買の広告を認めることだ。その他の内容は連邦各州の政府が自由に定められることになっている。ベルリンでは地域の区別なく性売買の営業が可能で、ミュンヘンのような都市では郊外に性売買が可能な区域が設けられている。

2018年、女性の人権を考える視点から、性売買を合法化した国々の実態を直接確認しようと、ドイツとオランダを訪問した。これまで各種メディアや研究文献などで読んだり聞いたりしてきたが、

★10 法案はあいまいな内容のまま修正され採択されてしまった 第2章「このままではいけない――『性売買防止法』の制定」を参照。

目撃した現場はそれ以上に多くのことを教えてくれた。

まず見ることができたのは、莫大な富を築き華麗な生活で注目をあびる性売買の斡旋業者たちの姿だった。オランダとドイツの大規模な性売買業者は事業の成功者として自叙伝を出版しており、性売買斡旋業者の運営をコンサルティングするリアリティショーまで制作している。零細事業者を支援する趣旨で制作された韓国のコンサルティング・テレビ番組「ペク・チョンウォンの横丁食堂」と類似しているが、彼らのコンサルティングは性売買の斡旋業者として成功する方法だ。さらに異なるのは資本の規模だ。彼らはテレビ番組を自ら制作できるほどの財力と全方位ロビイストになれる権力を持っている。この「抱主たち」はこれに留まらず、政界にも進出している。

ドイツにおける経済の中心地といわれるフランクフルトでは中央駅前の路地から始まる性売買通りに、真昼でも麻薬常用者が群れをなしていた。東洋人の女性たちだけで通るのも怖いような所だった。性売買事業所が林立している通りには、麻薬中毒者のためのドラッグハウスが併設されていた。麻薬の所持、仕入れや販売が禁止されたドイツで、麻薬を使用できる場所が設けられているのだ。その目的は麻薬を使う者が危険にさらされずに中毒から抜け出すチャンスを与えるためだという。実際、注射器をきれいに使って麻薬中毒から抜け出した人が増えたという肯定的な評価まである。けれども、私が目撃したのは、早朝から割れた酒瓶の破片が散らばった公園で注射を打たれている若い女性の姿と、昼間から麻薬に酔いズボンの前をはだけたまま性売買の店の前をうろつく男性の群れだった。そこには男性専用の道端で用を足せる便器があった。上半身だけを遮るついたてと一緒に設置されたこの便器は、アムステルダムの性売買集結地の通りでも見かけたものだった。男性たちが性を買う欲求を節制しなくても良いように、男性のためだけの道路端の便器は女性を買いあさる男性の排泄行為を包み隠さず見せているようだった。

ドイツの性売買通りは、画然と区別された別世界のようだった。ハンブルクの有名な性売買集結地であるレーパーバーン(Reeperbahn)には、通りの入口両側に壁が建っている。その壁には「男性のためだけの場所、18歳以下と女性は入場禁止」と書いてある。性売買は成人男性のためのもので、女性と子どもはその道具だという変わらない現実をハッキリ見せつけている。

この通りには「廊下型業者(Laufhaus)」[★11]が多かった。もっとも目を引いた大手業者は、ひとつの建物に180の部屋を所有していた。女性たちはその部屋を借りて性売買を行っている。借りた部屋の前には廊下があり、そこに彼女たちが出ていると、買春者が廊下を歩きながら女性を選ぶという仕組みだ。[対価は]1回当たりのサービス内容によって20~60ユーロだ。1部屋の1日の家賃が140ユーロ程度なので、業者は莫大な利益を上げられる。

国が個人事業主だと認めたここの女性たちは部屋代以上を稼ぐために、できるだけ多くの客を取らなければならない。買春者がまばらだったり、女性が急に体調を壊したりすれば、その日の部屋代は払えなくなる。ここの運営の仕組

写真13◉
ドイツのフランクフルト(Frankfurt Am Main)、性売買集結地のマンション型の性売買店の様子。こうした店では、建物内の部屋を女性たちが賃貸して、部屋前の廊下に出ている女性たちを買春者たちが選ぶ仕組みだ〈2018年著者撮影〉

★11 Laufhaus
ドイツ語のLaufhausは英語にするとWalk house、つまり男たちが廊下を歩き回って女性を選ぶ家という意味だ。

みを聞いて確信できたことは、ここでもっとも大きな利潤を上げられるのは建物の所有者だということだ。この建物を所有している人物は誰なのか。建物の所有者は抱主ではなく、単なる賃貸業者だ。このぎっしり並んだ部屋を借りる性売買女性のほとんどは東ヨーロッパ圏出身の移住女性で、彼女たちを管理する中間管理者たちがいる。彼らはこの女性たちをあちらこちらに移動させる。

フランクフルトの性売買区域は中心街の外れ、ひっそりした高速道路の入口付近にもある。近くに行ってみると、買春者の車両がスピードを落とし、女性たちを選び値段を交渉するため続々と入ってきていた。ここにも女性たちを管理する者がいて、女性たちはその管理者、つまり抱主に税金と管理費用を支払う仕組みになっている。

ベルリンで訪れた道路端の性売買区域は洗練された住宅街だった。ここではルーマニアやハンガリーなど女性たちの国籍別に通りが分けられていて、女性たちは通りに出てきて立っている。彼女たちの管理者、抱主がカフェに座って、あるいは女性たちの真後ろにいて監視している。この通りに事務所を構え、女性たちを支援している活動家は、性売買女性のほとんどがドイツ語を話せないため支援に困難が生じており、何よりも業者が見張っているので制約が多いと述べた。ある時は、臨月になるまで街頭で性売買を行っていた18歳の移住女性を出産直前にようやく自国の家族の元へ帰れるようサポートできたという。だが、そうやって帰国しても管理組織がふたたび彼女を性売買の現場に送り返すはずだった。その通りにある活動家のオフィスには、社会福祉士ひとりが常勤していた。それすらも寄付金で運営されていて、女性たちが性売買から抜け出すのをサポートする政府の支援はないという。

ドイツでグーグルマップを開いて性売買集結地を意味する「brothel」と入力すれば、無数の店が地図に表示される。その店というのは、女性たちが裸のまま待機している大手のFKK[★12]業者から

★12 FFK ドイツ語Freikörperkulturの略、英語ではFree Body Cultureでヌーディズム、裸体主義文化とも言われるが、転じて「風俗店 性売買店」を指す言葉となっている。

廊下型業者までさまざまだ。性売買の広告にいたっては、大通りのそばの大きな立体看板からウエブサイトやスマートフォンのアプリなど、手を伸ばしさえすれば、あらゆる場所で入手できるようになっている。性売買斡旋アプリは買春者の位置情報サービスを通じて、検索地からもっとも近い性売買店と女性たちの情報を知らせてくれる。女性の写真と年齢、人種、サービスの内容などをこと細かに提供する。

フランクフルトで出会ったある活動家は、買春者たちに殺害された女性たちの記録を集めていた。彼女は、性売買合法化後に女性たちの死がむしろ小さな扱いになっていると述べた。地元紙に掲載された性売買女性の殺害記事をスクラップしながらもっとも大きな怒りと悲しみを感じるのは、死亡記事に使われた写真が性売買のために彼女たちが自分でアップしたプロフィール写真だったときだと語った。

世界中のセックスワーカーを尊重せよ?——オランダ

オランダの首都アムステルダムは美しい街だ。運河の両岸にレトロな家並みが続く中、穏やかな朝の光のもとで性売買集結地も美しく見える。だが、午後遅くになるにつれ、その雰囲気は徐々に変わってくる。観光客と買春者たちが互いに異なる必要性を抱いて、アムステルダムの「紅灯街(Red Light District)」をうろつき始める。性売買の店の間に旅行者のためのホテルが挟まれていて、何軒か先では大麻を売っている。土産屋には女性の肉体を部位別にバラして造形した土産物が並べてある。そして、典型的な「飾り窓」を見ることができる。飾り窓には性売買女性たちが立っていて、その背後にはベッドが見える。買春者が入っていったことを示す赤い電球が付くと飾り窓にはカーテンが下ろされる。その他にも「のぞき見風のポルノやストリップ」のピープショー(peepshow)の業者がまるで劇場のように、誇張した華麗な様子を誇っている。

繁盛する今日のアムステルダム性売買産業の街角には「世界中のセックスワーカーを尊重せよ」という宣言を彫った「セックスワーカー」の銅像があり、盛り上がった女性の胸とそれを鷲づかみしようとする手の彫刻がある。土産屋の商店にはピアスした女性性器の形のキーホルダーが並べられ、「女性の性器を掴め」という文字が読み取れる。セックスワークを支持する者たちが書いた「われわれ（性売買女性）を助けるのではなく飾り窓（性売買業者）を助けよ」Ⓑ、「セックスワークも労働だ」というスローガンを出した事務所の横にセックスワーカーの銅像が建てられている。その前にはツアー観光客が群がって、ガイドの説明を聞いている。

性売買の合法化はその市場を活性化させ、もはや性売買店へ出かけなくても人々を誘い込む。インターネット掲示板や個人のブログ、インターネット・カフェには合法化された国々の性売買店に行ってきたという露骨な経験談があふれ、世界中の人々を対象にしたさまざまな買春観光パッケージが提供されている。業者はネットをつないで映像を通じたチャットができるようにしてあるの

写真14◉
オランダ・アムステルダムの性売買集結地（Red Light District）の店舗が密集している路地入口〈2018年著者撮影〉

で、インターネットさえつながればどこからでも性売買女性とリアルタイムで会うことができる。

性売買を産業に、労働に組み込んだ社会が作り上げた実際の風景は、制度をつくる際に交わされた言葉や期待とは大きくかけ離れていた。当該社会は人々に何を学習させるのか、セックスワークを権利とした者たちが望んだ世の中の姿はとどのつまりはどのようなものなのかを鮮やかに見せてくれた。国家が性売買を公式に認め、セックスワークを職業とした社会では、性売買斡旋や買春行為を非難したり制約したりすることそのものが困難になる。このような状況で性売買は女性への暴力だと主張する者や団体は、富裕な性売買事業家たちやセックスワークの支持者たちから、精神的にも物理的にも圧力を受けていた。セックスワークに反対する個人に対し、深刻な危害が加えられることもある。

私たちはドイツで性売買反対運動を行っている性売買経験当事者組織「エラ(Ella)」と世界的な性売買経験当事者の組織である「スペース・インターナショナル(SPACE International)」の会員、マリー・メルクリンガーとフランクフルトで会って、話を聞くことができた。フランクフルト近くの小都市に住んでいる彼女は、自分がフェミニストで強い女性だと自負していたので、経済的に苦しいなかで子どもたちを育てながら「セックスワーク」ができると思ったと述べた。そして、その選択をした何年間か、彼女は性売買によるうつ病とトラウマに悩まされ続けた。耐えられなくなった彼女は労働福祉官を訪ねて行った。彼女には、セックスワーカーの権利のために性売買の合法化を選択したドイツという国が自分のような女性たちのために支援策を講じているだろうという信頼があった。だが、何もなかった。福祉官はむしろ残念そうに「なぜ、もっと『セックスワーク』ができないのか」と問い、実際に性売買を行えないことを立証しなければ失業給付が受けられないことを告げた。その後、マリーは買春に反対するようになり、性売買反対のため活動する人たちと出会うことになった。

「セックスワーカー」という幻想――米国・ネバダ州

2018年に米国で性売買斡旋業者、即ち韓国でいう抱主が州議会の議員として当選した。69%の得票率で当選が確定した時、彼は死亡した後だった。米国で唯一性売買を合法としているネバダ州での話だ。ネバダ州は州法で候補者が候補者登録後に死亡しても選挙はそのまま行われ、このような場合には死亡した候補者の所属政党が指名する人物がその任期を全うすることになる。

死亡のまま当選した抱主のデニス・ホープは生前、大規模な性売買の店を何カ所も運営していて、彼の事業所は米国HBOテレビ局のリアリティショーとして制作されたこともあった。「米国で一番有名な抱主」と呼ばれた彼は、性売買女性を性暴行した嫌疑で何度も取調べを受けたが、証拠不十分により一度も起訴されなかった。2016年には火事ですべてを失った家族のために、彼の店を訪ねてきた20歳の女性とバージン競売を契約して話題をさらった。

ドナルド・トランプの熱烈な支持者だった彼は2015年、トランプの本『トランプ自伝[★13]――取引の技術(原題『The Art of the Deal』)』をまねて、『ポン引きの技術(The Art of the Pimp)』というタイトルの自伝を出版した。

性売買を合法化した国々の様子をみると、性売買の合法化に一度踏み切ればもとに戻るのは大変困難だということがわかる。私たちはすでに、植民地期から性売買防止法が制定された2004年まで、国家が助長してきた韓国の状況からもすでに学んだとおりだ[第2章参照]。膨れあがり巨大化した性売買の市場が社会を統制する権力そのものとなり、女性たちを商品として取引するその市場内で権力層の腐敗と不正、癒着が行われ、男性の観念のなかでセックスは性売買を基準として置き換えられていく。

★13　**トランプ自伝**　日本の書名は『トランプ自伝――不動産王にビジネスを学ぶ』ドナルド・トランプ、トニー・シュウォーツ著、相原真理子訳(筑摩書房、2008)。

性売買を「自由」というオブラートで包んだ国で、その市場がどのように具現されるかはすでにドイツとオランダの現在が赤裸々に見せている。それでも依然として性売買女性の権利のためという美名のもとに、セックスワークがロマンチックなものだとしてドイツとオランダを見習うべき事例だとする主張がある。そのような主張はたんなるひとつの意見だとして軽く見過ごしてはならない。性売買が合法化された社会では、稼ぎまくった資本で飽食する斡旋業者たちがその主張の後ろに陣取っているからだ。

性売買女性たちの同意があると堂々と言いくるめても、買春と斡旋の暴力的本質は消えるものではない。もはや性売買のなかに女性の人間としての尊厳は存在しない。性売買を肯定することで得られる唯一のものは、いつでもカネさえ払えば彼女たちが使える肉体として準備されるということだけだ。性売買の合法化は買春を堂々とした消費につくり上げ、ポン引きの抱主を誇らしい事業家に仕立て上げてやった。もしもデニス・ホープが死ななければ、私たちは巨大な魔窟の性売買業者(mega brothel)の抱主が州議員になった姿をみることになったかもしれない。

性売買の合法化がもたらした災い——再びドイツ

ドイツが2002年に性売買を「正常な取引」と認めて5年余り過ぎたときから、性売買産業の拡大、人身売買の増加、性売買女性に対する搾取などが本格的に明るみになってきた。2013年ドイツの『シュピーゲル』誌では、性売買合法化10周年の特集記事が5回にわたって連載された。タイトルは「性売買合法化はどのように失敗したか」というものだった。記事によると、合法化後にドイツの性売買産業の規模が拡大し、移住女性が大挙して流れ込み、性売買の「値段」が下がっていった。合法化後、性売買女性が社会保険に加入できる被雇用者として登録された件数はたった1%に過ぎず、性売買を合法化した国々では人身売買がさらに増加したという結果も発表された。

性売買女性たちへの新たな保護法が必要だとするドイツ政府に向けた要求が可視化されるようになったのは、大手性売買チェーン店を所有した業者による人身売買などの人権・搾取犯罪が表沙汰になってからだった。性売買業者が多くなり競争が熾烈(しれつ)になると業者は単価を引き下げ、より多くの女性を供給するために人身売買を行ったのだ。この事件は裁判進行に何年もかかったのだが、確実な証拠があるにもかかわらずこれら事業家たちの処罰は困難を極めた。

さらに他の変化としては、時間が経てば経つほど搾取的性売買がサービスとして提供され、公然と広告が行えるようになったことだ。一定の料金さえ払えば楽しみ放題で性売買を行える定額制の店や、性搾取をイベントとして行っている店もある。たとえば、「男らしさの日」というイベントでは、模擬集団レイプを客に提供する。より刺激的な内容で買春者を集めようとする業者が妊娠9カ月の女性を集団レイプするイベントを催し、これを撮影する。撮影した映像は、そのまま性売買広告サイトにアップされる。妊娠した女性が裸になって、その周りに目出し帽をかぶった男たちが取り囲み、彼らが女性の口と顔をめがけて射精する。その様子がインターネットで拡散されるのだ。それを見ても性売買が他の仕事と変わらない「仕事」だとされてしまうことこそ、性売買合法化が作り上げたもっとも強い影響力だといえよう。

街頭で客引きをする性売買の危険性について述べつつ、合法化を主張する輩がいる。性売買経験当事者として反性売買運動を行っているアイルランドのレイチェル・モレンは著書『ペイド・フォー(Paid For)』★14で、合法的業者がやっている室内での性売買の方が街頭での性売買よりも、女性にとって何の選択権もなかったと書いている。本来、性売買において女性の選択権をとやかく言うこと自体が根本的な限界であり矛盾なのだ。性売買が合法化された現場の女性たちは、はるかに企業化された管理下で金額別の商品としてメニュー表に羅列される。膣内射精、顔への射精、肛門性交、

★14 **ペイド・フォー** Rachel Moran, Paid For: My Journey Through Prostitution, Gill Books, 2013. 日本未公刊。本章［ANOTHER SCENE］参照。

SMなどのようなすべてのサービス内容がメニューとなって体系化される。カネを稼ごうとする者たちはより多くの行為を許容する。女性の商品性と競争力が落ちるほど値段は割り引かれ、基本料金への追加サービスや上乗せについて交渉がやり取りされる。

性売買が合法とされた国々で性売買とは、許容された区域でさえあれば、業種や形態を問わず、街頭であれホテルであれ、マッサージショップやテーブルダンス酒場、どこでも行われる。「女性たちが性を売る権利」だけが保障されるこの場で、彼女たちは抱主の競争のもと、料金がさらに下落し、より露骨になるサービスを提供しなければならない。

このような現実にもかかわらず、上辺だけをみて女性が能動的なセックスワーカーだとする認識は、実際の女性たちが経験する搾取と虐待を個人の選択の結果に閉じ込めてしまう。それによって性売買女性が抱き続けるトラウマは「やれそうな仕事」に適応できない個人の問題に縮小され、女性自らも自分自身を責めてしまうことになる。性売買が法的にまったく問題とならず、むしろ誇らしい「事業」とされる国々で、すべての問題は「仕事」をまともにやれない性売買の女性個人の問題でしかない。

現地で女性をサポートする反性売買活動家にとってもっともつらいのも、「女性が受ける搾取を搾取だと言えないこと」だという。セックスワーク論を主張する者たちは、性売買女性が搾取されているという主張さえも、彼女たちの行為性を消してしまい、女性たちにスティグマを与える宗教的な性的保守主義の観点だと非難する。なぜ、それを屈辱だと見なして女性を被害者化するのか、というわけだ。この者たちにとって、性売買女性は「快楽を生産する労働者」にすぎず、妊婦との乱交パーティーや猟奇的ポルノに登場するような女性の身体棄損もその仕事の一部分でしかないとする。麻薬中毒のまま性売買を続ける女性についても、彼女の選択なので尊重するという立場だ。それに介入するのは、女性の「選択」に対する権利の侵害になりかねないという。

ドイツは、2017年7月1日、性売買従事者及び性売買施設に対して「性売買従事者保護法(Prostitute Protection Act)」を新たに導入した。この新しい法律を制定した理由は、性売買の女性たちに権利と義務についての情報を提供し、必要な場合には助けを求めるよう奨励することだ。性売買女性が自分の「仕事」を自ら登録するよう義務づけ、登録時には健康および社会諮問サービスや非常時の支援が受けられる情報が提供される。登録は働く地域の管轄公共機関で行い、性売買「可能」な場所は登録認証書に入力される。登録後には証明書を受け取ることになるが、21歳未満の場合は1年、21歳以上の場合は2年間有効となる。18歳未満であったり、21歳未満で他人により性売買を誘導されたり強要されたりした場合、また妊娠中で6週以内に出産予定の場合には発給を受けられない。また登録するためには健康相談後に認証書を受け取り携帯しなければならない。その他には各種の社会保険加入など、性売買女性の権利保護のためのさまざまな内容が含まれている。

しかし、この権利保護のための手続きが事実上は性売買女性への義務事項となっており、彼女たちの責任だけを強化している©。この法律の施行と前後して、すでに多くの人権団体が憂慮を表明していた。権利を保護されるため義務的に費用と時間を費やさねばならず、関連規制による処罰も女性たちに科せられる。実際に貧しい移住女性が大多数のドイツにおける性売買女性たちに立ちはだかる言語と貧困という障壁を考えれば、人権のためだとするこのような規則は彼女たちの状況をさらに劣悪にさせることに他ならない。

ドイツの性売買従事者保護法は、「この『仕事』は、あんたが体も精神も健康でなければならず、出産6週以前はダメで、住む家も必要だ、これらを守らなければ罰金を払え!」と注文しているようなものだ。性売買合法化後に性売買女性の処遇改善のために出された唯一の方策というのが、すべての責任を性売買女性に押しつけるという法律なのだ。

性売買女性の90％以上が移住女性であるドイツにおいて、この法は過酷であるばかりか邪悪だと言わざるをえない。性売買が「可能だ」という選択肢だけを与えておいて自らの安全は自己責任にして、法を守らねば罰金を科するというものだ。これは、規制の問題というよりも性売買合法化が招いた災いだろう。性売買女性たちの被害が発生しても警察などの公権力が介入する余地がないので苦肉の策として制定されたものではあるが、実際にこの法律が性売買女性の人権を守れるかは未知数だ。その結果を待っている間に、性売買合法化が生む災厄は続いていくのだ。

誰のための「完全非犯罪化」か——アムネスティ・インターナショナル

性売買合法化の別の流れである完全非犯罪化は先に述べたように、性売買合法化も当然のことで規制すべきではないとする立場だ。ドイツなどの性売買合法化の基になっていた「よい目的」が明らかに失敗したにもかかわらず、セックスワーク論を主張する別の者たちはドイツの合法化が失敗した理由は規制を行ったためだと主張する。性売買を規制せずに完全に自由な市場に任せればこのような問題は解消され、セックスワーカーの女性たちの権利も守られるということだ。これについて強力な答えを出したのが、アムネスティ・インターナショナル［国際人権ＮＧＯ］だ。

２０１５年8月11日、アムネスティ・インターナショナルはその総会で、「すべてのセックスワークからいかなる規制も撤廃し、完全に非犯罪化せよ」という勧告案を議決した。これと前後して多くの団体、個人から抗議が相次いだ。アムネスティ・インターナショナルはこれを強行したのだが[★15]、総会の議決過程は完全に秘密裡に行われた。この決定後、アムネスティ・フランス支部は議決の過程が非民主的で、政策決定のベースとなった研究対象4カ国の選定は不適切だったと指摘、再検討を公式に要請した。

アムネスティが非公開の議決過程を経て決定した「セックスワーカーの人権尊重と保護及び実現のための政府の義務政策として発表した完全非犯罪化」とは何なのか。アムネスティは、パプアニュ

★15 アムネスティ・インターナショナルはこれを強行した 世界的に人身売買と性的搾取に反対してきた女性・人権・市民活動家たちは、アムネスティの決定に反対する声明を出した。韓国の反性売買女性人権運動の諸団体もこれに強力に抗議するとともに、性売買経験当事者たちの意見と声明をアムネスティに送った。

ーギニア、香港、ノルウェー、アルゼンチンの4カ国で行った『セックスワーカーの人権侵害についての調査報告書』を公開し、セックスワーカーが置かれた深刻な暴力的状況と事例について列挙した。そしてアムネスティは「犯罪化によってセックスワーカーの人権実現に障壁が生じるようにみられるところから、成人の間で同意のもとに行われるセックスワークのすべての側面については非犯罪化することを要求」している。アムネスティの立場は、セックスワーカーの権利を保護するため性売買を犯罪化するような法の廃止や、成人の間で同意のもとに行われる買春とセックスワークの組織化を犯罪とみなす法律もまた廃止しなければならないとしている。

『ニューヨークタイムズ』の「性売買は犯罪でなければならないのか」という記事は、この立場をよく示しているⒹ。記事を書いたジャーナリストのエミリー・バゼロンは「多くのセックスワーカーが現在の法と社会の道徳観に対抗して闘っている。また彼女たちは主流フェミニズムとも闘っている。主流のフェミニズムは一般的に、よりましな権利を求めるセックスワーカーを支持するよりも、性売買から女性を助け出すことに焦点を当てている」と主張し、カネをたくさん稼げるので「私は本当にこの仕事が好きだった」と語る性売買当事者の女性の話を紹介している。彼女は北欧モデルと呼ばれるスウェーデンの法律が買春を犯罪化し、女性たちをより大きな危険に追い込んだと主張する。取り締りを避けたい男性が彼らだけの空間に女性を連れて行ってしまうからだ。そして、彼女はドイツやオランダの合法化についても批判している。業者が大型化し、女性たちを健康診断などで統制すれば、性売買女性たちは自主性を奪われるというものだ。したがって彼女はこのような合法化も性売買女性たちが願っているものではないと主張し、性売買の完全非犯罪化のモデルとしてニュージーランドについて言及している。

反性売買活動家のレイチェル・モレンは彼女の著書で、この記事の内容の多くの部分が事実を歪曲していると主張している。彼女によると、アムネスティ・インターナショナルの立場は「セックスワーク・

プロジェクト・グローバル・ネットワーク(Global Network of Sex Work Projects)」から出たものなのだが、このネットワークの共同議長は性搾取を目的に人身売買を行ってメキシコで懲役15年の刑に処せられたという。

私たちは失敗した——現場の声[ニュージーランド、南アフリカ]

ニュージーランドで非犯罪化法案が採択される前から20年間性売買をやっていたサブリナ・バリスによれば、ニュージーランドが性売買の非犯罪化で達成しようとしていた性売買女性の権利向上は成しとげられなかった。サブリナは現在「スペース・インターナショナル」の会員で、非犯罪化後のニュージーランドの状況についてホームページでインタビューを公開している。

私は法律が変わる前も後にも、ずっと仕事をしていました。性売買改正法(以下、性売買法)が制定されたのが2003年です。変わってからよかったのは、もう犯罪記録を心配しなくてもいいということだけ。だけど北欧モデルだって性売買女性の犯罪記録を残さない。私はニュージーランドの性売買の会でボランティア活動をしていたので、非犯罪化の目標と実際の結果を比較できるのです。私、そして私と一緒に非犯罪化のために努力していた人たちは、性売買する人たち、つまりセックスワーカーに権力が与えられることを願っていた。でも非犯罪化ではそのような目標を達成できませんでした。権力は、店主、エスコート会社の社長、そして買春者に握られていました。性売買法が施行されると、業者は正当な事業家になってしまった。彼らは定額制を作っているのです。定額制とは、買春者が店の受付で一度だけ料金を支払えば済むシステムなのです。どういうことかというと、セックスワーカーは直接交渉できないのです。また、店主が女性(ほとんどが女性だから)の所得を決めてしまうということなのです。業者は支払われたカネに含まれた「サービス」が何なのか、そのうち自分の取り分がいくらなのか決定する力を持っています。さらに店主は女性たちに賃金を払わなかったり、その賃金の存在自体を否定したりする力まで持つのです。法改正以前は私たちが直接値段を交渉し、どんなサービスを提供するのかも決められたんです。

彼女が語る性売買法改正後におけるニュージーランドの実態は、驚愕するものだ。法律では性売買女性を個人事業者とみなすのだが、結果的に女性は被雇用者としてのメリットを受けられないまま雇われた形になっている。彼女たちは勤務開始と終了時間、週当たりの最低勤務時間、料金、何を着てどんなサービスをするのかに至るまで業者から指示される。さらに各種のルールで遅刻の罰金、部屋の罰金、外見の罰金、欠勤の罰金、それ以外も勤務料、広告料、クリーニング代などを支払わなければならない。企業化されれば麻薬などの関連犯罪はなくなるだろうという当初の予測も外れた。サブリナは「麻薬を使わない業者とエージェンシーなんて一度も見たことがない」と述べている。

性売買非犯罪化のもうひとつの深刻な問題は、セックスワークを華麗で魅力的な、まるで文化のように見せて煽（あお）ることにある。

非犯罪化は「サービス提供者（性売買女性）」の数を400％も増加させました。これはたんに需要が増加したためではありません。「コールガールの秘密の日記帳（Secret Diary of a Call-girl）」のようなテレビ番組のせいで、セックスワークに「ポジティブな」イメージが作られてきた結果です。店主やエージェンシーの社長も「自分の女たち」の数を増やした。その場で選べる女がより多種多様なことを願う買春者の欲求を煽ったのです。買春者たちはもっとも安く、もっと多くの追加サービスが受けられることを願っているし、どれだけ選べる女がたくさんいるのかを望んでいる。そして若くて初体験の子や経験のない子の方が好きなんです。それで店主は客をより多く取るため、価格を引き下げる。でも、これは街頭での客引き性売買と個人の性売買事業者の価格を引き下げる波及効果をもたらしました。こうやって女性たちは客を取るために、さらに多くのサービスを提供しなければならないんです。

このような販売競争の過熱は現場の女性たちに、もっとも大きな脅威を与えた。そもそも性売買非犯罪化の大きな目標は、性売買を安全な行為にさせようとすることだった。しかし実際は、法の趣旨とは正反対の結果になった。性売買が企業化しサービス競争が激しくなると、これまで存在していた安全に対する内部ルールが消滅してしまったのだ。

「熱情」という言葉はディープキスを含むキスサービスの暗号のようなものです。性売買法ができる前にはこんなサービスは完全にタブーになっていた。誰もやらなかった。でも法律ができてからは、ほとんどの人がこれをやるようになりました。口にヘルペスが移って炎症ができるリスクがあるけどね。私はオーラルセックスを保護具なしにやるのは、法律ができてからはじめて見た。こんなオーラルセックスを「ナチュラル・オーラル(NBJ，Natual Blow Job)」と呼んでいます。「カバー・オーラル(CBJ)」は保護具を使うこと。性売買法以前にはこんな言葉自体がなかった。なぜなら、こういうサービスはシスターフッドを裏切るものだと思われていたからです。女性たち内部では「安全なセックス」が厳しく守られていたのです。でも、競争が激しくなって値段が下がってくると、このようなルールは眼中になくなってしまった。今では決められた時間に男たちが射精できないから何度もやらせるのが慣行となってしまった。以前はそんなことは絶対やらなかった。一度お金を払えば、サービスも一度きりだった。

その他にも多くの変化があり、性売買女性たちにとっては悪夢となった。多くの買春者が口に砂利を押し込んだり、首を絞めたり、尻を叩いたり、手荒な挿入などのような暴力的行為をやってもかまわないと思うようになった。

非犯罪化後に、女性たちは自分がどんなサービスを提供するのか、もしくは提供しないのかの線引きが難しくなった。明らかに暴力だと認められるような行為であっても、たんなる買春者の「性的嗜好」の一種とされた。法改正後のニュージーランドではカネの必要な性労働者たちが、これらすべてを一方的に受け入れねばならない状況になってしまった。

サブリナが明らかにしたように、非犯罪化後にニュージーランドの業者たちは、どんどん罰金と各種の料金をつくり出した。収入の半分をピンハネされていくので、女性たちは客の相手をしても料金を受け取れない日も珍しくなくなった。彼女はニュージーランドの状況を「借金を担保とした強かん」だと名付けた。サブリナは非犯罪化後を経て、自分たちの目的が失敗したことを悟った。そして、その事実は認めがたいものだと述べた。非犯罪化のためにともに活動した人たちも、彼女自身も、すべての性売買女性が法的保護を受けられ、働く環境で交渉力を発揮し安全に働けるようになることを望んでいたのだ。だが、実際は店主と買春者だけが権力を握る結果になってしまった。彼女は言った。「私には私たちの失敗を認めなければならない道徳的責任があります」。

南アフリカ共和国ケープタウンの性売買サバイバー関連企画「尊厳を受け入れる(Embrace Dignity)」の当事者活動で、ミッキーもまたサブリナと同じような経験をした。「尊厳を受け入れる」は法律支援と公教育、そして人身売買されたり性売買された女性たちがその場から脱出できるようにサポートすることで、性売買女性たちに加えられるすべての形態の性暴力を終わらせようとするものだ。ミッキーは生存のために性売買をするとき、一番怖かったのは警察の取り締まりだったと語る。それで団体を通じて「セックスワーク」という概念にはじめて接したとき、それは魅力的なものだと感じ、「セックスワーカーのための教育と擁護対策委員会(S.W.E.A.T. Sex Workers Education and Advocacy Task Force)」で活動し、同僚のための教育者となった。しかし、彼女もまた現実の中で、考えを変えることになる。そのきっかけとなったのは、性売買の全面非犯罪化後にニュージーランドの店で行った女性とのインタビューだった[E]。

彼女は法律が変わる前は、ほとんどの女性たちが街頭で客引きをして性売買を行い、保護されることはなかったけど、たまには抱主がいない独立した仕事ができたそうです。でも非犯罪化後に、女性たちは抱主と店主だけが利益を得るような店に移ったというのです。彼女は改正法が警察による暴力だけを問題にしただけで、女性たちは依然として性病と買春者による暴力にさらされていると言っています。

非犯罪化されれば確かに性売買女性が警察の取り締まりを心配する必要はなくなるだろう。だが、つねに買春者が女性を殺したり、傷害を与えたりすることはなくならない。店の運営者は、性売買女性にコンドームを付けずに性関係を行うよう強要することができる。にもかかわらず、すべてのリスクがまるでないかのように扱われてしまう。

ミッキーは、S.W.E.A.T. 指導部が全面非犯罪化と「女性が性売買をする権利」だけに集中することに限界を感じた。そして、S.W.E.A.T. が支援金を提供する財団の意図に合わせ、性売買女性たちの人生を犠牲にしていることを悟った。ミッキーは語った。「S.W.E.A.T. に支援金を提供した財団はたんに搾取する側を正当化するやり方で、『セックスワーク』の枠組みを作ろうとしたことがわかった」。その後、彼女はS.W.E.A.T.を離れた。

現在、彼女はサブリナと同じように北欧モデルの制定を要求している。どこかの運動団体や後援集団のためではなく、まさに彼女のような現場に居続ける性売買女性たちのためというのが、彼女の立場だ。記事の末尾に掲載された彼女の言葉は意味深長だ。「すべてを奪われて残ったのが性売買しかない国をつくるわけにはいかない。黒人女性だって性売買ではなく、正義と平等を勝ち取る資格があるのです」。

性売買の完全非犯罪化を公然とかかげる社会に、抱主はいないことになる。エージェンシーと助力者たちがいるだけということになっている。完全非犯罪化社会で彼らは、女性の身体を売った代価で生計を立てるというレッテルを取ることができ、セックスワーカーが性売買でカネを稼ぎ、安全を確保するため必要なものを提供するれっきとした管理者と見なされるようになる。セックスワーク論において当事者の主体性は依然として重要ではあるが、性売買女性が望んで選択したからといって何をさせてもいいとする発想がどれほど危険なのかは前述の話からわかるだろう。性売買女性たちの選択を尊重すると言いながら、問題の責任をすべて転嫁させ、市場の論理に彼女たちを投げ込むような妥協によって、人権を守ることはできない。

私は問いたい。歴史上かつて適切な規制なしに弱者が保護を受けられるような市場が存在したことがあったのか、と。すべての労働者が奴隷状態から抜け出すために闘ってきた歴史がまだ終わっておらず、労働者の権利のための数多くの法律があっても、社会的弱者の人権は何もせずに守られて来たわけではなかったことを私たちは知っている。この21世紀に、口では性売買女性が社会的にもっとも脆弱な階層だと言いながら、彼女たちのために規制を取り払うことを解決策だとする主張は、一体どこから出てくるのだろうか。

さまざまな当事者の声のうち、セックスワーク論だけを認めるという立場は明らかに恣意的であり、それが誰のための選択なのかは明らかだ。性売買女性の生計のために買春者と性売買斡旋業者を処罰も規制もすべきではないという主張によって、はたして誰が何を得ているのか。性売買の完全非犯罪化社会が守るのは、決して性売買女性の権利や利益ではない。

ANOTHER SCENE

ドイツで出会った活動家たち

「いつでも、誰にとっても性売買は暴力だ」

世界各地で性売買女性らを支援する組織を紹介する。

スペース・インターナショナル(SPACE International)

スペース(SPACE)は「啓蒙のための性売買サバイバーの会(*Survivors of Prostitution-Abuse Calling for Enlightenment*)」の略で、性売買がそれ自体虐待であることを周知させ社会の変化を求める国際的なサバイバー[ここでは性売買経験当事者女性をさす]の会だ。2012年に5人のアイルランド出身の女性が集まって立ち上げ、大衆と対話するためにサバイバーが実名で声をあげることを綱領に掲げた。これにより、初期に集まった5人のうち、レイチェル・モレンとジャスティン・ライリーだけが正式メンバーとなり、他の3人は連帯する仲間として、そして同僚として残った。

その後アイルランドだけでなく、イギリス、フランス、デンマーク、ドイツ、米国などさまざまな国籍の女性たちが集まった。

https://www.spaceintl.org

ネットワーク・エラ(Ella)/ドイツ

北欧モデルを要求する性売買経験当事者によるネットワーク。性売買女性たちと連帯し、買春に反対する。

https://netzwerk-ella.de

ノイシュタート(Neustart)/ドイツ

ベルリンの都心、街頭で客引きをする性売買地域で、「新しい始まり」という名前の小さなカフェを現場の相談所として始め、現場で女性たちへの支援活動を行っている。

活動家、マリー・メルクリンガー(Marie Merklinger)／**ドイツ**

マリーは経済的に困窮したため、ドイツの性売買産業で3年を過ごした。性売買ではない職場を得た後、ようやく2011年に性売買から抜け出すことができた。性売買によるトラウマに苦しめられてきた彼女はサポートしてくれる人と相談相手を探したが、性売買が合法化されているドイツの産業構造のもとで彼女を助けてくれる人は誰もいないということに気がついた。性売買が正常な「職業」とされている国で、支援はないに等しかった。

彼女は今でも自国で女性への不正義が続いている状況を変えるために、北欧モデルを支持して闘っている。「どんな場合でも誰かを買ったり売ったりするようなことが選択権になってはならない。いつでも、誰にとっても、性売買というのは有害で暴力的なものだ」。

テルデファム(Terre des Femmes)／**ドイツ**

非営利女性人権団体として1981年にハンブルグでスタートし、現在はベルリンに本部を置いている。モットーとしているのは「女性と少女の権利のために闘う」というものだ。

私たちが2018年に訪問した際、全国の会員による合意で、団体の立場を「性売買の合法化に反対し、性売買そのものにも反対」することを明確にし、北欧モデルの導入を目標に据えていた。約20の都市と大学にボランティア活動家グループを置いて、ジェンダー関連の暴力被害女性のための基金を運営している。

https://www.frauenrechte.de

ソルウディ(SOLWODI)／ドイツ

「困難に直面した女性との連帯(SOLidarity with WOmen in DIstress)」の略称で、セックス観光・人身売買・契約結婚などを通じてドイツに来た移住女性のために運営されている団体だ。シスターのアッカーマン博士(Dr. Lea Ackermann)がケニアのモンバサの女性たちが貧困により大規模に性売買へ流れ込むのを見て問題意識をもち、1985年にケニアではじめて性売買女性のためのセンターを設置した。ドイツに戻ってきてからドイツの移住女性が同じような状況に置かれていることを知り、ソルウディを開設した。

現在、ソルウディは宗教的な色彩を排して独立した運営を行っている。ここでは人身売買、搾取、暴力、強制結婚などで苦しむ移住女性のために、心理的・社会的支援や法律支援、シェルター、帰国や居住国での総合支援などを行っている。ドイツでは珍しく、性売買に対し批判的観点を堅持している団体だ。

https://www.solwodi.de

人身売買防止のための連合団体(KOK(カオカ))

現在38の団体が所属する民間の連合団体として、人身売買と移民の人権侵害に反対し、人身売買被害者の被害の補償について話し合ったり、緊急支援などの活動を行ったりしている。性売買を人身売買と区分すべきかについては意見がわかれるところだが、所属団体のうちソルウディとテルデファムだけが性売買について廃止主義の立場に立つことを公式に表明している。

2018年インタビュー当時、KOKの活動家たちは「個人的には性売買に反対するが、団体としては反性売買の立場を公表すると基金整備に困難が生じる」と述べた。性売買反対は性売買女性にスティグマを与えることになり彼女たちを非難することになると考え、反性売買の公式立場を表明するのは危険なことだと考えている。

https://www.kok-gegen-menschenhandel.de

第5章　原注

Ⓐ ただし、ネバダ州では性売買が合法となっており、ニューヨーク州でも性売買合法化についての賛否両論がある。

Ⓑ 「Don't save us, Save our window!」飾り窓に人身売買される女性があとを断たず、観光客が大規模に押し寄せる問題を解決しようと、アムステルダム地方政府が飾り窓の性売買店を買い取って閉鎖させる政策を取ったことに反対するセックスワーカーの団体のスローガンだ。

Ⓒ 2002年、ドイツの性売買合法化によって性売買女性の人権侵害問題が浮かび上がり、その問題解決のために2017年7月1日から性売買従事者保護法が施行された。新法によると、性売買女性は保健関連部署に相談して健康指導を受けねばならず、働きたいときは州地域に登録しなければならない。エスコートサービス、自分の建物、街頭やその他すべての形態の事業所で働く女性に対して、この義務は適用される。彼女たちは仕事を始める前に居住地を準備して確認を受けねばならず、登録するためには旅券写真2枚、身分証・旅券または、身分証・旅券再発行確認書、そして最近の健康診断の確認が必要だ。健康診断の確認なしには働けず、許可された登録証なしで働いた場合は1000ユーロ以上の罰金刑に処される。その他の規定としては▽コンドーム使用の義務化（客が使用しなかった時は店主と買い手のみ処罰）▽開業前に安全設備と衛生施設に対する確認を受けた業者には許可証を発給する。▽女性たちが休息できる部屋を提供し、外に出られるドアを必ず設置するなどの規定を遵守する。▽人身売買、性暴力の前科がある者は事業所を営業できない。▽女性の性的自己決定権を深刻に侵害するレベルの行為については広告できない（「ギャングバング」と呼ばれる3人以上の乱交行為」の禁止ではなく、広告を禁止したもの）、イニシャルや暗号でこのような行為を暗示する広告も禁止する。▽定額制の性売買店は不許可、などがある。
女性が健康診断を受ける際に30ユーロ、通訳30ユーロ、登録申請30ユーロ、登録過程の通訳30ユーロ、身分証発行手数料20ユーロ、21歳未満の場合は診断回数増加などの費用について問題とされたが、一方では「ホットドッグの店をオープンするよりも簡単だという登録制から許可制に変わったのは、それでも少しマシになった」という評価もある。

Ⓓ *"Should Prostitution Be a Crime?" The New York Times Magazine 2016.05.05.*

Ⓔ *"From "Sex Work" Advocate to Survivor Leader: A Journey Embraced"HuffPost 2017.05.25.*

第6章

より良き道に立つ

すべてが性売買になる

韓国の「援助交際」の元祖というべき日本は、依然として「パパ活」の世の中だ。米国に「シュガーダディー」があれば、フランスのパリには「リッチ・ミーツ・ビューティフル(RichMeetBeautiful)」がある。「リッチ」が「ビューティフル」に出会えるよう斡旋する数多くのウェブサイトは、「立派なシュガーダディーを得られる方法」を教え込もうとする。性売買とは単純なものではない。人権に基づいた開放的な性認識がありジェンダー平等のレベルが比較的高い国であっても、資本主義社会で性差別と相対的貧困が交差する場では、いつでもあらゆる関係が性売買となりえる。

買春者が性的快楽を得るために女性を利用する権利があると信じ込むこと、それがすなわち性売買だ。性売買は「可能だ」と認められさえすれば、すべてが性売買となる。こうして性売買の市場が成立すると、次の段階では望むものは何でも「買えるもの」となる。レイプも、あらゆる搾取的なファンタジーも、少女との恋愛のような情緒的搾取から、どんな穴にでも突っ込むことのできる身体的搾取まで、どこまでが性売買なのか線引きすることはできない。

性売買の被害女性への支援活動を始めてから、ずっと質問を受け続けてきた。遊興酒店[★01]で女性の服を脱がす「入会式・初見世[★02]も性売買なのか。カラオケ・スナックのコンパニオンや前立腺マッサージのようなのも性売買なのか。遊興接客員の仕事はどこまでが「仕事」となりえるのか。どのくらいのマッサージまでなら許されるのかを誰が決めるのか。なぜ女性たちの仕事はいともたやすく性的搾取と結びつく商品となってしまうのか。ゴルフ場のキャディー、食堂の女性従業員は、性売買女性のことだった。1990年代まで韓国では「職業女性」といえば、「お嬢さん」を意味するアガシと呼ばれ、男たちは彼女たちの尻を触り手首を握った。男性を接客する数多くの女性は、顧客である男性がその気になってカネさえあれば、いつでも寝させることができる存在だった。

性売買を法で認めることの究極的な落とし穴は、ここにある。合法的な性売買市場で性売買はより洗練された事業として管理され、女性たちはそこで買春者が望むあらゆることを売るように設定される。すべての女性のサービスが正式に性売買となるということだ。法律がそうでなくても同じだ。法制度と無関係に性売買は公然と社会に存在する。こうした現象はいくらでも目撃されている。代表的な国が日本と韓国だ。これらの国での女性差別が男性の欲求と女性の客体化を過度に認め、性売買を社会の一部として是認し、この土台の上で資本と結合した市場が性売買を公然化する。

一方、ドイツやオランダのような国では、女性の人権とジェンダー平等にプライドをもった社会

★01　遊興酒店　第1章脚注★13を参照。

★02　入会式・初見世　第3章「遊興接客員とは何か」の項および用語辞典「チョイス」を参照。

環境で性売買の合法化と非犯罪主義を制度化したが、結果的にそれは過大評価だったことが明らかになった。性売買が「可能だ」となった瞬間、これらの国ではすべてのサービスが性売買と結びついていった。幸せな娼婦というイメージは買春者の罪悪感を消してやり、成功した抱主の事業家は男性たちに「女は所有物なのだ」という認識を刻みつけた。カネがなくて買春者になれない男たちには、抱主になることで女性を所有しカネも稼げると社会が教えてやる。

性道徳的スティグマと性差別が結合した韓国と日本は、きわめて悲惨な性売買の現場をつくり上げてきた。国家が豊かになればなるほど、国民は罪悪感と結びついた巨大な性売買市場の奴隷となった。権力が組織的に国民を性売買に加担させ、それは国民を統制する手段となっていったⒶ。私が韓国社会の性売買の現場で出くわしたのは、性売買だと解釈されるサービスの無限の拡がりだった。いちいち細かく言えないほどの行為がサービスという名のもとに提供される。「ホール(hall)サービス」が基本となる[ソウルの]弥阿里[★03]の性売買集結地に団体客が来ると、女性たちはいったんホール(大きな接待用の部屋)で酒と基本のオーラルサービスを客の全員に回りながら提供[以上がホールサービス]し、その後に挿入セックス[二次]をするための部屋に移動する。

日本に行くと、こうした性売買のさらに露骨な拡張版を見ることができる。日本の性産業市場の内部取材で2006年に発刊されたジョアン・シンクレアの写真集『ピンクボックス(PINKBOX)』[★04]には、想像を絶する性産業のありとあらゆる種類が掲載されている。水族館の水槽を裸で泳ぎ回って客を楽しませる「アクアガール」から、自分の体をお膳代わりにする「スシガール(女体盛り)」まで、これらの店が全部合法なのだ。この本に登場する「カネさえ払えば、どんなことでも何でもできる」という36歳の買春者のセリフは、性搾取がサービスとなる現実をよく説明してくれている。

『難民高校生』[★05]という本がある。著者の仁藤夢乃(にとうゆめの)は自分の経験を本に書き、10代で家を出てきた女性たちを「難民」と表現した。たんに家出したということではなく、さまざまな暴力と搾

★03 弥阿里 第1章脚注★12を参照。

★04 ピンクボックス(PINKBOX) Sinclair, Joan, Pink Box: Inside Japan's Sex Clubs, Harry N. Abrams, Inc.; Illustrated edition, 2006

★05 難民高校生 仁藤夢乃『難民高校生——絶望社会を生き抜く「私たち」のリアル』英治出版、2013年。

取から抜け出すため街頭に追われた10代の女性たちだ。そうやって家を出てきた彼女たちを待っているのは、成人男性と斡旋業者らが差し伸べる性搾取の手だった。著者は、東京で家庭内暴力や貧困などさまざまな理由で家出した10代女性のための相談やシェルター運営を行う「Ｃｏｌａｂｏ（コラボ）」★06の活動を行っている。２０１９年にここを訪問した際、彼女たちが案内してくれた東京の街には至るところに「性風俗店」と呼ばれる性売買の店があった。日本では依然として10代の女性たちへの搾取が大きな社会問題となっている。「ＪＫビジネス」という名の『ＪＫ』というのは女子高生の略語だ。「ＪＫ散歩」とか、「ＪＫリフレ」など、数え切れないほどのサービス商品がある。ついに２０１６年、国連が女子高生を接待に動員するＪＫビジネスは禁止すべきだという勧告★07まで出したほどだ。

当時ＪＫ関連の営業所は東京だけでも2百カ所以上あって、1年に約5千人の少女がＪＫビジネスを経験したことがあると推定された。このような業者の問題を扱った日本の報道では「10代の女性たちは金銭目的なので、このような行為にはむしろ抵抗感がない」というような反応で、業者の形態を紹介する記事では詳細に描写し、彼女たちの体を性的に対象化するイラストイメージによって埋められる。

仁藤とＣｏｌａｂｏメンバーと一緒に歩いた東京・新宿の歌舞伎町にはおびただしい数の性風俗店があり、路地裏のあちこちにはそれらの店を選ぶための無料案内所まであった。この無料案内所には「男の享楽」と書かれた看板が掲げてあり、女性が立ち入ることはできなかった。風俗店の説明案内板には、さまざまな店が提供する数多くのサービスが整理されたメニュー表のように並んでいた。国連の勧告以降、日本各地でＪＫビジネスが問題にされたにもかかわらず、道端のあちこちに10代の女性を誘うスカウトたちの姿が見られ、「いっぱい稼げる」という巨大な求人広告が道路端を埋めつくしていた。午前中の早い時間帯から営業を始める「ガールズバー（ＧＩＲＬＳ ＢＡＲ）」

★06 Colabo Colaboは2011年に「困っている少女が暴力や搾取に行き着かなくてよい社会」をめざし団体を設立し、現在は夜の繁華街での10代女性無料の夜カフェやアウトリーチ、相談やシェルター運営などさまざまな活動を展開している。https://colabo-official.net

★07 JKビジネスは禁止すべきだという勧告 2016年3月9日付『朝日新聞』は次のように報じている。「国連の『子どもの売買、児童売春、児童ポルノに関する特別報告者』の対日報告書において、10代の少女が男性相手に接客する『JK（女子高生）ビジネス』の禁止などを勧告した。日本政府は『遺憾にも（特別報告者の）報告書は、日本と日本の文化の実情について、不正確で不十分な文言を含んでいる』と反論の意見書を国連人権理事会に提出した」

もあり、女子大生だけがホステスになっているという店の外には、毎月すぐに仕事を辞める女性接客員の名簿が「卒業生」だとして掲示されていた。以前から有名な浴場型の性風俗店である「ソープランド」の入口には現在待機中の女性が何人いるか、その数が表示されていた。このようなすべての明確な展示は、あまりにも堂々とした日本の性産業の現在の姿を見せている。

日本がアダルトビデオ（AV）大国であるのは、昨日今日の話ではない。何年か前に韓国で［朴槿恵］大統領を弾劾するために、日本のAVをモチーフとした弾劾プロパガンダが問題となった。「鬼ごっこ」というタイトルのそのAVポスターは、ひとりの女性の後ろに100人以上の男性が追っかけているという写真だ。集団強かんを連想させる残忍な場面を［韓国の］男性たちが何の抵抗感もなく政治的メッセージとして再現させたのだ。モチーフとなったAVの場面は演出されたものではなく、実際の状況だった。一般男性100人に参加申請を受けて、AV女優を追っかけさせて撮影したものだ。女性の保護者を自認する男性たち［守り隊］の前で、その女性を捕まえた男性たち［孕ませ隊］は迷うことなく自分たちの欲求を吐き出した。彼ら全員が共謀者だ。日本のAVは合法化された「n番ルーム[★08]」だ。

性搾取の動画を作成して販売した韓国のn番ルームの性犯罪が世に知られた後で、人びとはその悪辣さと巨大な消費規模に驚愕した。実際、きわめて加虐的な性暴力の映像が長い間AVという名で消費され、それをあけすけに消費してきた者たちがn番ルームを作りあげ、そこに入室した。日本のAVもまた、撮影された映像が実際には強制された性暴力の状況だったことがわかった後でも、廃業した制作社を買収した別の業者によってそれらの映像は流通されている。AV産業は「成功」したごく一部のAV女優を看板にして、無数の女性を手段や方法を選ばない契約でしばる。AV［出演強要］被害者のための団体、「ぱっぷす（PAPS）[★09]」は困難な闘いを続けている。

n番ルームの現実を知らせると、「どうして人間にそんなことができるのか」と怒る人もいるが、

★08 n番ルーム 第1章脚注★01を参照。

★09 ぱっぷす（PAPS） 2009年に創設、2017年にNPO法人取得後に「ぱっぷす：PAPS——性的搾取に終止符を打つためのプロジェクト」として、リベンジポルノ・意に反したグラビアやヌード撮影による「デジタル性暴力」、アダルトビデオ業界や性産業に関わって困っている人びとの相談に対応している。https://www.paps.jp

そうした消費や現実に慣れきっている者たちにとっては、それすら快楽のコードとなる。女性たちを奴隷と呼んで10代の女性まで手当たり次第に性搾取を行って共有し、性暴力を行ったn番ルームの数十万の参加者たちは、そうした行為を「ちょっと度の過ぎた性的プレイ」程度に思った。日本のあるお笑い芸人は「コロナで苦しいので可愛い美人が風俗にたくさん流れてくる」などと発言した。★10 コロナ禍で疲れた人たちへの「励ましの言葉」としてだった。こうした認識レベルこそが、社会に性売買が蔓延(まんえん)している証拠なのだ。

性売買に食われた人々

有名な「座布団屋」▼14の集結地。そこからやっと抜け出てきた女性と一緒に、警察の事情聴取に同行した。地方警察庁の女性青少年係の担当警察官は30代前半の男性だった。店主を呼んで対質尋問を行い、前払金を含め借金が1億ウォン近くあるという女性の状況について聴取していた。業者が定めた納得しがたい費用の計算ルールを確認していた途中で、警察官は業者に聞いた。「どうしてホールドレスの費用をこの女性が払わなければならないんですか。警察官の制服は自分で買わないですよ」。時たま「民衆を支える杖」になるという表現をそのまま体現したような警察官に出会うことがある。そんなときは本当にうれしいものだ。

その座布団屋では基本料金10万ウォンで酒とつまみ、2時間のテーブルショーと性売買が提供された。こうした店による事件があるたびに、該当地域の警察の態度はいつも問題とされていた。世の人がみな知っているのに、警察は性売買の営業を行う業者に目をつぶっていた。女性たちにすべての証拠を示すことを要求し、業者と買春者の起訴は後回しにした。地域社会を握る実際の勢力である組織暴力団が運営する店舗が多く、長い間地域の警察はこれらの営業を黙認してきた。このような店が密集した地域は全国に存在している。事件が起きるたびに、地元警察の姿勢によ

★10　日本のあるお笑い芸人は～などと発言した
2020年4月、お笑い芸人の岡村隆史が深夜のラジオ番組で「コロナが終息したら絶対面白いことあるんですよ。美人さんがお嬢(風俗嬢)やります。短時間でお金を稼がないと苦しいですから」などと発言し、大きな批判を受けた。

って事件の解決の進み具合とその結果は大きく異なってくる。事件がスムーズに捜査され、業者に対する処罰がキチンと行われさえすれば、このような業者側の暴力的な営業は急激に崩れ落ち、女性たちも脱出しやすくなるだろう。斡旋業者の横暴がひどい所では、裏で彼らを庇護する警察の存在がある。公権力との癒着なしに、このような業者が大手を振って営業できるはずがない。

偏見をもたずに自分の職務に忠実な人たちがいて、彼女たちが常識的な待遇を受けられれば、今のような現実にはならないだろう。社会的不正義が力をもち、それがルールとなる世の中では、人々は挫折し諦めてしまう。ソウル江南（カンナム）の大型高級ナイトクラブ「バーニングサン」事件[★11]が浮上したのは、クラブの客の男性が店の管理者たちに暴行されて引きずり出され、通報を受けて出動した警察官らが客を保護しなかったからだ。現場の防犯カメラには、警察官が店のナイトクラブ管理者の下僕のようにふるまっている姿が映し出されていた。腹を立てた被害者は、業者と警察との癒着について問題を投げかけた。

私は率直に言って、現場に駆けつけた警察官にかえって同情心が湧いた。このような事件が起きると怒りの標的にされるのはいつも組織の末端にいる者たちだ。彼らの姿は可視化される。バーニングサンという巨大資本の前で、地元の派出所警察官の存在などは取るに足らないものとされる。警察との癒着があったとすれば、警察の上層部だったろう。彼らこそ第一線で駆け回る地元警察官の生死の運命を握っている者たちだ。

「浦項（ポハン）の怪談[★12]」と呼ばれた事件を支援しているときに警察官と会ってみて、私はその地域の警察署に新しく赴任してくる人々を思い浮かべていた。最初から不正を行うべく警察官になろうとする人はいないはずだ。はじめて辞令を受け取って出向いた赴任先の警察署全体がその地域の遊興業者らと組織的に結びつき、定期的に上納金を受け取っていたとすれば、彼はどうすべきだろうか。警察公務員になったことを誇らしく思い、家族や友だちの激励をも受けたその新人警察官が上

★11「バーニングサン」事件　ソウル江南のル・メリディアン・ホテル地下にある高級ナイトクラブ「バーニングサン」で2018年11月に起きた暴行事件を発端にして、性暴力や麻薬、脱税、違法映像の所持が発覚し、地元警察権力との癒着が明るみになり大型事件となったもの。K-POP人気グループBIG BANGのメンバー（当時）のV.I（本名イ・スンヒョン）が関係していたことから有名になった。

★12 浦項の怪談　第3章「韓国の性売買SCENE 03、2011年夏、浦項」の項を参照。

官の不正を目撃し共犯になることを強要されたら、どんな選択ができるだろうか。警察組織だけでなく、斡旋業者の会の威力が地元の政界にまで及んでいたら、豪気に内部告発者となって正義を守る側に立つことができるだろうか。少なくとも腐敗した彼らと一定の距離を保ったまま、自分が受け持った事件については自分の意思を貫いて真っすぐな捜査を行えるだろうか。

私たちは知っている。組織の末端にいる新人ひとりくらい、その組織を守るために懲らしめることはわけないことだ。業務怠慢だ、社会性の欠如だ、地域社会で私的な利益をかすめとったなどとこじつけて不名誉を着せられ、社会的に抹殺させられる。だからといって不義をはたらいた個人を許してやろうと言っているのではない。ただ、社会がそのように回っているということを知った私は、そして私たちは何をすべきだろうか自問する。こうした組織的腐敗は、ときが過ぎれば自己合理化を越え惰性や習性へと根づいてしまうのが現実だ。

韓国社会において性売買はその健在ぶりが組織と社会の安寧であるかのように助長され、多くの問題は放置されたまま規模と威勢を育ててきた。いつも女性たちを支援するときに、その業者がどれほど力を持っているのかつねに聞かされ続けてきた。ある島のチケットタバン（茶房）▼17の店主はその島にたったひとつの警察署の署長の友だちであり、ある小さな村の休憩テル▼07の店主は自分が地区長だと名乗った。ある遊興酒店の実質的オーナーは政治家誰々の遠いいとこになる人だと聞かされ、座布団屋の店主はその地域のライオンズクラブ地区会長だった。

業者たちは、地域の防犯隊長や青少年指導委員のような肩書きを普通にもっている。自分の店の女性たちを毎月老人ホームに送り込んではボランティア活動をさせ、地域のお偉方として「善なる影響力」を行使する者もいれば、伝統文化の継承者のような肩書きで飾り付けた者もいた。抱主として積み上げた富と、それを基にして築き上げた人間関係が彼らの身分を保障し、彼らに名声を与える。性売買店の運営は彼らにとって自慢すべきものだ。カネと権力を握った者たちの買春を斡旋しつつ違法行為を「洗浄」してやる彼らは、それを自然なことだと思っている。カネは絶対的な影響力であり、こうした性売買店主たちが秩序を与えた。その秩序のなかで生まれ暮らしてきた彼らは、まるで息をするように自然にそのような現実を受け入れている。

　島の小さな村にあったチケットタバン▼17、そこからやっと抜け出した女性たちを支援したとき、私を一番唖然とさせたのは村の住民たちの態度だった。ほとんどの業者はその地域で経済的影響力をもっており、住民たち自身が買春者となっていた。小さな地域社会の内部で彼らは業者の耳目となり、女性たちを監視し誹謗する。業者の言葉はそのまま住民の証言となる。性暴力防止法が制定される以前、ある村で成人男性らが知的障がいをもった10代女性を性暴行し続け、妊娠・中絶させていた事件があった。そのとき村の住民たちは、むしろ加害者たちの側に立ち、「若いのに尻尾を振った」、「カネをもらったのだから自分が好きでやった」などと口々に言った。華城(ファソン)連続殺人事件★13の容疑者が逮捕されたとき、彼は家庭内暴力にさらされて家を出た妻を探すと言っていたが、すでに妻の妹を殺害した後だった。しかし、記者とのインタビューで殺人犯と同じ町内に住んでいたある成人女性は「女房が家を出てしまったから探しに行ってそうなった」と、彼の行動を正当化するような発言をした。

　10代女性への性暴行や殺人事件でもこうした共犯意識は作動する。地域社会が長い間このような意識を内面化させてきたので、感覚そのものが慣らされてきたのだ。地域社会の容認のもとで性暴力を正当化する有機的な生態系にからめとられた地域共同体の成員は、性売買についても堂々と胸を張っている。彼らにとって、性売買女性とはハッキリと蔑視されるべき下位層の者たちで、問題となるのはこの女性たちの「行い」だからだ。彼らは女性たちを、斡旋業者の経済活動と買春者の本能を解消させるために取引される不浄な商品としてしか見ていない。

　この社会は性売買を通じた支配にあまりにも慣らされている。不法な利権をむさぼってきた巨

★13 華城連続殺人事件　1986年から1991年まで連続して華城地域の女性10人が性的暴行後に殺害された事件。未解決のまま時効を迎えたが、2019年に義妹殺害事件で服役中の50代男性がDNA鑑定と「自白」により真犯人に特定された。この事件をモチーフとした映画にポン・ジュノ監督作品『殺人の追憶』(2003年)がある。

大な斡旋組織と結びついたまま生きている者がわんさといて、とぐろを巻いている。性売買によって富と権力を手にした者たちが君臨する社会は、人間の身体を搾取しカネを儲けることについて、社会の全員を共謀者に仕立てあげている。繰り返すようだが韓国はこの狭い土地のもと、世界6位の性売買国家だ。性売買は人々の日常を大きく支配しているのだ。

当事者になること――ムンチの結成と実践

反性売買運動と現場の支援活動をしていると、必然的に無数の当事者と会うことになる。ほとんどの人たちは相談と支援を受けた後、自分の人生を取り戻すことになるが、彼女たちのなかには反性売買運動の同志となって現場での支援活動を一緒に行う人もいる。また、ある人は社会福祉士となり、後になって関連団体で会うこともある。正式に活動家になるわけではないが、性売買問題について声を上げ性売買が本質的になぜ暴力なのかを知らせ、北欧モデルへと法改正を要求する女性たちもいる。その中心的な団体が「性売買経験当事者ネットワーク・ムンチ（以下、ムンチ）」★14だ。

私は現場で出会った女性たちの話をそのまま多くの人に聞かせたいと思うことがしばしばある。彼女たちの話は、なぜ性売買が暴力と変わらないのかを明確に教えてくれる。ぞんざいに扱われてもいい人などいないということを、いつも考えさせてくれる。私自身を毎回省察させてくれる人たちであり、私に聞いただけで終わらせてはいけないと決心させてくれる人たちだ。

遊興酒店と紹介業者を告訴し裁判を進めながら、国家試験の準備をしていたKさんがいた。彼女は公共医療を提供する総合病院の看護師となった。シェルターで進学を準備し、自分の周囲の人々より遅い年齢で学校に通う過程は、さぞかし大変だったろうと思われる。彼女は自分の話を人々に知らせ、「性売買女性や、性売買について『嫌味や悪口』なんかを言わせないようにして、女

★14　性売買経験当事者ネットワーク・ムンチ　「ムンチ」は韓国語動詞のムンチダ［뭉치다］から派生している。小学館『朝鮮語辞典』では「（多くのものが集まって）ひとつになる、団結する、塊になる」意味だとしている。

性たちへの支援事業をどんどん後押ししたい」と言った。

性売買を抜け出し自分自身に責任をもつということが社会的リソースの不足している彼女たちにとってどれほど大変なことかを何度も経験するが、彼女たちはいつも驚くほどの仕事を探し出してきて私に教えてくれる。宅配便の夜間作業、二交替制の工場の生産ライン、あらゆる種類の販売サービス職、介護福祉士、障がい者活動の補助、調理士と厨房の補助、そして性売買経験の当事者活動家まで。この世で居場所を探し出し、声を出して責任をもつ関係を作り上げていくその姿に畏敬の念を禁じえない。積み重なった時間だけ、出会ってきた女性の圧倒的な数だけ、私は彼女たちによって何を選択し、どのような立場に立つべきかを知らされてきた。

ムンチは２００６年に結成された性売買経験当事者の組織として、性売買女性たちを「被害者」と規定し、買春者と性売買斡旋業者を処罰する北欧モデルを要求する活動を行っている。ムンチは全国的に結成された自助グループを基に運営されてい

写真15◉
ソウルで行われた「性売買経験当事者ネットワーク・ムンチのコンサート」ポスター〈2015年著者撮影〉。

*ポスター内容は上から

ムンチ・TALK「私たちが今出会って」「あのことを話すなんて、いや!」

テーマ1:世の中が_私たちに向かって浴びせかける数多くの質問と悪口
テーマ2:その人間たちが_私の耳にこびりついたあの言葉の数々
テーマ3:それで_どうしても問えなかった頭のなかのあの話
テーマ4:ムンチはあなたと一緒に_私はだからこそ反対するとして、ところであなたはなぜ[反対するの]?

主催・主管:性売買経験当事者ネットワーク・ムンチ

る。２００９年に広報映像を作成し上映会を催して自分たちの存在を知らせ、その後はインターネットと各種メディアに文章を載せ続け、一般向けの講演活動も行っている。このような当事者組織が生まれたことが、性売買防止法制定後のもっとも劇的な変化だ。自分たちの経験を堂々と明らかにし、なぜ性売買が問題なのかを公表する彼女たちの存在は、この法律がもたらした目に見える大きな成果だといえよう。彼女たちによってこの社会は、性売買の実態についてより生産性の高い論議を進めていけるだろう。

当然ながらすべての当事者が同じ意見ではないし、何人かの当事者だった活動家が全体を代弁することはできない。『標準国語大辞典』によれば、「当事者」とは「あることや事件に直接関係があったり、関係したりした人」を言う。「当事者運動」という言葉は、主に障がい者運動、女性運動、ＬＧＢＴ人権運動など、マイノリティやサバルタン（社会的に下位におかれた集団）と関連した運動を組織する際に使われている。しかし、当事者という言葉が示す対象がそれぞれの運動によって異なり、運動の主体がもっている性格や困難さもそれぞれ違うので、当事者運動を画一的に規定することはできない。

反性売買運動のなかでいう当事者とは、性売買そのものを経験した者のことだ。当事者運動は無条件に当事者の主張が正しいということを意味しない。とりわけその主張が特定集団の特定利益のためだけのものである場合は、当事者主義が貫徹されているとは言えない。当事者主義というのは、参加と機会均等などのさまざまな条件が形成され当事者たちの主導的な立ち位置が保障されるなかで、自由に意見が交わされ平等に参加できることをいう。経験が排除された運動などというのはありえるだろうか。フェミニストの反性売買運動では、性売買経験当事者による主体的認識がもっとも重要だ。当事者が無条件に正しいということではなく、当事者の声から性売買の本質を読み取れるからだ。当事者の声を排除した運動は、むなしい自慰行為に過ぎない。

性売買についてのフェミニストの主張は多様だが、その結論が違っていても、その出発点は性売買女性の当事者主義にもとづく。ところが、それが社会全体の議論に進んでいくと、価値中立的な装いで、実際には女性を排除した議論や、男性中心的で不毛な話に変質することが多い。フェミニズムと部分的に重なる主張のなかには、性売買女性をこらしめたがる保守的思想にしばしば汚染されており、こうした保守的な考え方との差異を立証するために、消耗的論争をただただ繰り返し、とどのつまり議論そのものが進まなくなりがちだった。

反面、自分たちの立場を隠したまま、たんに「当事者の声を聞け」と叫ぶような姿も見受けられる。『不都合でも大丈夫』の著者金斗植（キムドゥシク）★15は2012年、ある日刊紙の連載でセックスワーカーにインタビューをした。当事者の声がもつ力を見せつけられたとして、彼はそのタイトルを「あなたが固く信じてやまないそれは真理だろうか」としている。インタビューのなかで当事者が話した言葉をそのままタイトルにしたものだ。また、専門インタビュアーとして多くの著書を出したチ・スンホは、2015年に『セックスワーカー、権利を叫ぶ』という当事者インタビュー集を出版した。

私は、彼らの文から彼ら自身の道徳的優越性を誇示する以外、どんな省察も自分と違う価値のあり方についても感じ取れなかった。彼らに共通するのは自分たちの立場はさておき、特定の立場にいる当事者の声を前面に押し出していることだ。彼らは、性売買経験当事者に会い彼女たちの声を聞いてやることによって、自分は「こんな人」さえも尊重しているということを見せつけているのだ。

進歩的だと自称する男性知識人のこうした姿勢は怠慢か、もしくは自分たちの立場については棚上げしたまま、当事者を前に押し立て責任を回避する卑怯なやり方だ。彼らは「セックスワーク」を主張する当事者の当事者性に熱狂してセックスワーク論に力を込めているが、実際その当事者たちのインタビューにも登場する性売買の暴力的本質については口を閉ざすのだ。買春者の問題

★15 金斗植　慶北大学法学専門大学院教授。

や斡旋業者と内通する権力については何も語らず、たんに性売買が自分にとっては必要だと語る女性の言葉尻をとらえて、「当事者が望んでいるから」というように話を展開する。

こうした男性たちの浅はかな当事者尊重に欠けているのは、成人男性の半分が買春している現実と、世界6位の性売買規模を作り上げ、それを維持させているこの社会に存在する自らの当事者性だ。韓国社会の知識人男性は性売買問題から自由でありえない。彼らが何もしないのは、現状に対する積極的同意だと解釈するしかない。自分自身の当事者としての立場を忘れさり、いきなり「性売買女性本人が望んでいるから……」などと言うのは、性売買と社会的暴力から顔を背けたまま当事者を利用する行為にすぎない。

当事者の声を聞くフェミニストもまた、もはや何らかの立場に立たざるをえない。当事者の声が多様な分、当事者主義に基づく女性運動の立場が異なるのは当然だろう。多種多様な当事者の声をどのようにすくいとっていくのか、そして女性運動内部の立場の違いが当事者主義やフェミニズムの価値とどのように出会い、ともに進むことができるのか、つねに実践における悩みとなっている。性売買問題に対する自分の責任を手放さずに、当事者たちの声とともに過ごす時間が積み重なっていったとき、その主張にいくらかでも「力」が込められうるだろう。

性売買は児童虐待、人身売買、暴力、ゆすり、監禁という実際の状況が横糸や縦糸のようにからみ合った政治的な現場だ。一方、現実としての性売買は生きることそのものだ。それは今この場だけでなく、過去や現在、未来が相互に関わるダイナミックな時空間に存在している。性売買女性も同様だ。現在を生きているが、人生はまっすぐに進むわけではない。当事者であっても性売買の現実のすべてを経験しているわけではなく、自分の経験した現実をもとに話すことになる。

こうした経験のかけらを拾い集めて全体像に描き出すことができるのは、「当事者になること」がもつ力を選択するときだ。「当事者になる」というのは自己の存在の意味を追求し、その構築的で歴史的意味を心に留めて行為性が与える影響を自覚することだ。ここで「なる」というのは、疎外と排除、差別を無意識に行う権力集団ではなく、マイノリティになることをめざし多数―権力―集団のあり方を変化させようとする人々が行動することだ。そのため性売買経験当事者が「当事者になる」という選択は、ものすごい力を発揮する。「当事者になる」というのは、かなり政治的で実践的な場に足を踏み入れることを意味する。経験当事者による限定的だが数々の状況をくぐりぬけた経験のかけらをパズルのようにはめこんだとき、性売買の全体像と本質があらわれるだろう。

その判決が残したもの

2016年3月31日『ハンギョレ新聞』に、「自発的性売買」女性を処罰する内容の記事が掲載された。憲法裁判所は、はじめて「性売買女性」が提起した憲法訴願に対し、性売買女性への処罰条項は合憲だとの判決を下し、「性道徳は性の自己決定権に優先する」と判断した。[★16] この日、メディアはさまざまなタイトルを付け、性売買について彼らの特別な視点を密かに、または露骨に掲載して私たちに見せつけた。そこには韓国社会が性売買を問題視する見方がそのまま表れている。

当時、各種メディアで取り上げられたように、判決内容で関心を集めたのは、性売買女性の人権はどのように扱われるべきなのかという論議だった。2004年の性売買防止法は買春者と斡旋業者を強力に処罰すべきだとする合意に基づき、性売買への認識を大きく転換させた。それ以前は[淪落行為等防止法の下で]性売買女性の処罰が当然だとされ、容赦なく社会的スティグマが与えられる一方で、買春者と斡旋業者の行為については、それぞれ本能的なものでありビジネスだと受け止められ処罰も軽微なものだった。しかし、2004年の法改正により、女性の性道徳を問題視する前近代的な見方から、買春者と斡旋業者の人権侵害や不当な違法収益を問題視する

★16 「性道徳は性の自己決定権に優先する」と判断した　2016年3月31日、憲法裁判所は性売買女性と男性をともに処罰する「性売買斡旋等行為の処罰に関する法律」（性売買処罰法）第21条第1項を裁判官6対3の意見で合憲だと決定した。同条項では「性売買を行った者は1年以下の懲役又は300万ウォン以下の罰金・拘留又は過料に処する」とした処罰条項があるので、2012年に性売買を行ったとして起訴された女性が違憲審判を申し立てたもの。「性売買問題解決のための全国連帯」はこの決定を不十分だとして、「買春者と斡旋者に対する処罰を強化する一方、性売買女性を非犯罪化するなど、女性の人権保障のための現実的な対策を講じるべきだ」としている。

方に、問題の焦点が移動した。加えて不法で莫大な性売買の市場をいびつに育て上げた国家の責任まで問えるようになったという点も進展だといえよう。そして2016年、性売買女性に対する処罰は果たして正当なのかを論議する地点まで至ったのだ。

当時の合憲判決によれば、「性道徳」は「性的自己決定権」に優先される。しかし、「一見強要ではない自発的な性売買行為も人間の性を商品化することにより、性売買女性の人格的自律性を侵害しうるし、性売買産業の繁盛は資金と労働力の正常な流れを歪曲して産業構造を歪めてしまう」として、性売買女性を構造的な被害者とみている。これについては形容矛盾だと指摘する意見や、性売買産業を助長し放置してきた国が女性たちを処罰するのは身勝手なことだとする指摘もあった。しかし、合憲とする意見が性道徳を述べつつも性売買女性を処罰することに負担を感じているというのは、小さくても重要な前進といえよう。

一方、限定的に違憲だと解釈した2人の裁判官は、性売買が「本質的に男性の性的支配と女性の性的従属を正当化する手段であり、性販売者の人格と尊厳を侵害する行為なので、女性の性販売者は基本的に刑事処罰の対象ではない」と判断した。これらは性道徳の確立という公益は抽象的で漠然としたものだが、性販売者が受けることになる基本的人権の侵害の程度は重大で切迫したものだと見ている。性売買を本質的に人権侵害の犯罪として規定するならば、当然その被害者は性売買女性となる。したがって被害者を処罰する根拠は、自発的か、そうでないかではない、ということは当然の論理だ。

完全に違憲だと解釈した裁判官も1人いた。これは性売買斡旋業者と買春者の処罰も問題にする意見だが、もっとも少数意見ではあるものの、現場で私がよく耳にしてきたところの有力で多数の意見でもあった。「成人どうしの自発的性売買は個人の内密な私生活」であり、国家が介入してこれを刑罰の対象としてはならないというのがその要旨だ。性産業そのものを抑制したり、一定区域内のみで性売買を許容したりするなど制約的でない方法は可能だとし、買春者のみを処罰するのは処罰の不均衡と性的ダブルスタンダードを強化するものだと主張した。性的に疎外される者たちである身体障がい者、独居老人、独居男性などの性的欲求を充足させられないという古典的な説明まで付け足された。性的欲求を男性の止めようもない専有物として還元する論理は言うまでもなく、貧困層の男性のセックスする権利のために性売買が必要であるという主張も、これまで何度となく繰り返されてきた古臭い考えだ。何よりも性売買が私生活の領域であり成人どうしの自発的な取引だとする主張には、性売買があふれかえっている現状を当然のこととして受け入れている買春者の恐るべき無知がうかがえる。まるで自発的な性売買女性と、強要された性売買女性を自分たちがキチンと区別することができ、この社会にこれ以上強要された性販売はないであろうという「お気楽な確信」だ。

韓国における性売買の歴史で、このような主張はつねに登場していた。日本帝国主義が移植した公娼制をなくそうとする主張が湧き上がったときにも、マスコミは「何の生活手段もなく学歴もない性売買女性たちをどうするのか、性的に疎外された[貧しい]階層の男性の性的欲求はどうすればいいのか」と心配した。独立後、貧困のなかで女性たちが性売買に流れ込まざるをえない「強要された自発」の構造がはっきりと表れていたにもかかわらず、このような主張は一貫していた。時たま発生する問題は制度的に管理し支援することにより解決できるという主張もあわせて、影響力をもった知識人男性の堂々とした声によって、数十年間繰り返され続けてきた。これらは実際の彼らの努力があったからこそ続いたのだ。つねに性売買は力のある男性たちが享受して当然の素晴らしい世界であったのだ。

性売買女性の「自発性」を理由に性売買市場を自由に任せようとする主張、それによって性売買女性の権利が保障され搾取がなくなっていくというようなファンタジーについて語るのは、もう

★17　群山火災事件　本書第2章「このままではいけない——『性売買防止法』の制定」および「韓国の性売買SCENE 02、2000年群山、そして変化の始まり」の項を参照。

★18　性売買問題解決のた

やめよう。そんな市場はありえない。

2年前に人身売買されて性販売者（ママ）となった女性が、別の選択肢がなく性売買することを決心したとすれば、その女性の行為は果たして自発なのか、強要なのか。カネを稼ぐためのあらゆる「仕事」は、搾取と労働の境い目を行ったり来たりする。それを区分するのは決してたやすいことではない。だからこそ多くの労働法を作り上げても、私たちはつねに不安定さと搾取にさいなまれているのだ。それなのに根本的に搾取的性格をもつ性売買なら言うまでもない。性売買が人間の権利、つまり人権を侵害するものならば、私たちはこの問題をいともたやすく経済問題にすり替えてはならない。

2016年憲法裁判所の判決当時、それでも希望を見い出したのは、性売買の問題を人権の領域として読み取ろうとする視点が圧倒的だったからだ。性売買は現実であり社会問題なのであって、私生活の問題などではない。多くの常識を無視し女性の人権を侵害するこの市場を認めるなら、それは同時代のすべての人びとに選択と実践についての自己責任を負わせることにつながる。性売買を人権の問題として読み取れるようになれば、もはや私たちのとるべき現実的選択は、性売買女性を非犯罪化し、買春需要のみを処罰する北欧モデルに進むこと以外にはありえない。

変化は成し遂げられた

2000年の群山（クンサン）火災事件[★17]以降、進歩的傾向の女性運動団体が反性売買運動に一斉に参加し、それに続き2004年には性売買防止法が制定された。その後、性売買被害女性の支援施設に関連する領域でずっと性売買女性支援活動を続けていた各団体が、2004年に「性売買問題解決のための全国連帯[★18]」を結成した。淪落行為等防止法の時代にも性売買女性への支援施設は存在したが、当時は性売買女性に対する強力な性道徳規範のもとで、可能な支援は限定的になら

めの全国連帯　2004年3月に「性売買防止法」が制定され、2004年6月9日に「性売買問題解決のための全国連帯」が結成された。同団体のホームページによると2019年現在、全国13地域で活動している。全国連帯はその発足宣言文で「法制定をきっかけに[盧武鉉]政府は、性売買防止総合対策案を提出して、本格的に性売買問題に対応している。しかし新しく制定された法も性売買女性への非犯罪化をなしえておらず、性売買女性を保護して性売買を根絶させるには限界がある。……法の制定を出発点として政府の政策が正しい方向に向かうように、政策提案とともに監視モニター活動、被害者保護支援を拡大する活動と国民意識を変革する活動などを進めて、本当に人権が尊重され平等な社会を早急に実現する活動を行うこと」が必要だと述べ、運動を展開している。

ざるをえなかった。「淪落」[★19]という性道徳的な言葉を廃し、女性への人権侵害として性売買という概念に転換したことは、支援の性格を限定的なものから自活できるものへと変えていく過程でもあった。

性売買防止法が制定された当時の現場は、性売買事業所からの女性の緊急救助に焦点が当てられていた。そこから抜け出しさえすれば何とか自活の一歩を踏み出せると思っていた。巨大な借金と暴力から物理的に逃れること自体があまりにも危険なことであり、抜け出すためには性売買女性自身に凄まじい勇気と決断が必要だったからだ。その後、緊急救助を中心とした支援に続き、臨時の避難場所としてのシェルターの運営、さらに救助後は法的な解決手続きを経る間に行う生活支援システムが加えられた。緊急救助したとしても最低限の臨時避難所を提供できなければ自活できないので、支援の領域を拡げていったのだ。そしてシェルター活動が安定していくなかで、さまざまな心理治癒や職業訓練活動などが可能になった。このように自立はたんに性売買から抜け出すことだけでなく、困難な治癒と教育を通じて性売買から脱した後の人生を切りひらいていくプロセスとなった。

相談所、シェルター、グループホーム、自立支援センターへと支援システムの運営を拡大しながら、性売買女性に対する総合的な自活支援体系が整備されていった。このような支援の制度化は性売買女性の人権のための公的リソースとなり、性売買が女性を対象とする差別と暴力だと話せる空間となった。法と制度の存在が多様な反性売買活動と性売買女性の人権保護のための手続き的な根拠となり、社会的セーフティーネットが機能するようになったといえよう。

このような持続的変化により各団体と機関が現実的な性売買防止策について論議し、各地で物理的にも活動を拡大することができた。性売買の現場近くで当事者の女性たちとコミュニケーションをはかって連帯し、数々の活動内容が作り上げられていった。さらにフェミニズム・カウンセリ

★19 淪落 序章脚注★01を参照。

ングや施設を出るための悩み、現場訪問相談を通じた関係づくりが可能になっていった。法的支援により性産業の搾取構造をえぐり出し、女性たちが法的権利を取り戻せるよう知識を提供し、暴力被害を受けた女性たちのためのシェルター運営を行っている。そして何よりも重要な成果は、性売買経験女性たちによる当事者運動の組織［ムンチのこと］が立ち上がったことだ。

社会は今なお、性売買をし、またそこから抜け出せない女性たち個人を指弾する。しかし、先に説明したように、性売買市場は容易に脱出できない構造となっており、そこに入ってしまうと社会的リソースを大きく失ってしまうので、性売買から抜け出した後でも社会適応に困難が生じることが多い。

反性売買を語るとき、彼女たちがどのような職業に転換できるかということを考える前に、女性たちの労働力を搾取する性売買構造を市場経済のなかでどのように転換させるべきかも考えねばならない。「タバン」というサービス業に女性たちが従事せざるをえないとすれば、また「遊興酒店」というサービス業に女性たちが従事せざるをえないとすれば、そこから性

写真16◉
大邱女性人権センターの事務所での著者（右側）と活動メンバー
〈2019年9月金富子撮影〉

搾取を排除し、コーヒーの運搬や飲食の接待だけに留めて、女性たちの労働権をいかに保障するのかを工夫した方が早道であるかも知れない。法的に雇用された人たち全員を「脱出させる」必要はないだろう。相対的に脆弱な立場にいる女性たちの性売買をサービスと称してごまかす階級的暴力およびジェンダー暴力にまっさきに対応することが、脱性売買のキーポイントとなる。

より良き道に立つ

先に述べたように、性売買を合法化したドイツとは完全に別の道を歩んだスウェーデンの法律は「北欧モデル」と呼ばれ、よい代案となっている。性売買女性の脆弱な立場を認識し、人権保護を優先し、買春者処罰について論議を続けてきたスウェーデンの国会では1998年、買春行為を禁止し買春者を処罰する法律を可決、成立させた［施行は1999年］。スウェーデンでは性売買を道徳の問題ではなく、女性を対象とした暴力であり、人権問題だと判断し、女性への暴力をなくす関連法のうちのひとつとして「買春罪」が制定された。

スウェーデンの法務省では買春罪を制定して10年目の2008年に、特別調査チームを編成、性売買政策の転換による社会的効果と影響について評価し、2010年に関連報告書を発刊した。それによると、買春罪施行後、性売買による性搾取の減少が表れており、性売買の趨勢は半減した。2014年に行われた18歳以上65歳未満の成人対象に実施されたアンケート調査によると、スウェーデン男性のうち約7・5％が性的サービスを受けたことがあると答えている。買春罪に対する支持率は72％で、性別でみると女性の85％、男性の60％がこの法律を支持している。また、スウェーデンの主要な都市（ストックホルム、マルメ、イェーテボリ）の街頭で客引きをする性売買女性は、1995年の約650人から2014年には約200～250人へと減少したとされ、法律の実効性が確認されている❸。

スウェーデンの北欧モデルが肯定的な成果をもたらしたことによって、EU議会は2014年2月26日、「性搾取と性売買がジェンダー平等に与える影響に関する決議」を採択した。この決議は強要によるものであれ自発的なものであれ、あらゆる性売買が人間の尊厳と人権を侵害するということを強調し、EU加盟国が脱性売買を願う女性たちにオルタナティブな所得創出方法と脱性売買戦略を講じることを勧告している。

北欧モデルの効果に基づき、買春行為を完全犯罪化することも積極的に要請している。スウェーデンに続き多くの国々が北欧モデルを採択した。ノルウェー(2009年)、アイスランド(2009年)、カナダ(2014年)、フランス(2016年)、アイルランド(2017年)などがそれまでの非犯罪主義から北欧モデルによる買春処罰主義政策に転換した。

私は字面の解釈や、あるいは単なる道徳的・政治的な正しさという判断のみで北欧モデルを主張しているわけではない。すでに施行後20数年間でみせてくれた現実が、この法がどのように機能し現場をいかに変えてきたのかを証明しているので、その道に進むべきだと述べているのだ。

韓国の現行性売買防止法は性売買女性を自発と非自発に分け、女性たち自身に被害を立証させようとする。女性たちは自分たちが受けることになる処罰を覚悟し、店主と買春者を告訴しなければならない。性売買そのものが性搾取であるならば、そのなかで女性たちはすでに被害者なのだ。あまつさえ女性たちの証言がなければ、斡旋業者と買春者を取締り処罰することも困難となる。韓国の尋常でない性売買規模を考えたとき、これを劇的に減少させようとするならば、女性たちの証言はなくてはならない。性売買への完璧な対策はありえないのかもしれないが、それでも私たちは性売買の本質をきちんと見極め、それが社会共同体や個人の人生にとっていかなる影響を与えるのか、実際の現実にもとづいて判断し立場性を確立すべきだ。そして、社会正義にもとづいて共同体と個人の生活をより良きものにするための政策と実践をつくり上げていかねばならない。

いつでも、どこでも性売買が可能で、男性の半分が性売買をしているのが私たちの現実だ。この現状を変え、性売買に関連したすべての腐敗と不正を終息させようとするならば、より良き社会のための道に立たねばならない。

韓国の性売買

SCENE 05

2019年、「お姉さんの写真がネットに上げられてるよ！」

韓国には、50代から70代までの女性たちが性売買をする「旅人宿」［簡易宿泊所］の集結地がある。２０１９年、そこで撮影された女性の姿がインターネットに流れた。そもそも私がここの女性たちと縁を結んだのは、２００９年に、この地域の女性7人が彼女たちを搾取するサラ金業者から抜け出したいと連絡してきたからだ。私はその事件を支援しながら彼女たちの話を聞くことになったⓒ。

10代の頃から性売買の道に入り人生の荒波を経てここにやって来た女性もおり、事業に失敗し借金を抱え家族を巻き込まずに生計をたてるために、40代後半近くでここに流れてきた女性もいた。当時は１００人以上の女性がいたが、今では30人ほどしか残っていない。彼女たちの１回当たりの平均的な性売買料金は自分の部屋がある場合には2万から3万ウォン、毎回部屋を借りる場合は1万ウォンから1万5千ウォンだ。部屋代は1日に2万5千ウォンから3万ウォンで月ごとに計算して支払う。毎回部屋を借りる女性は客ひとりを取るたびに3千ウォンの部屋代を出すのだが、これも彼女たちにとってはかなりの負担となる。彼女たちは「この仕事は後味が悪いね」と言っていた。

ここの女性たちは買春者を「旦那」と呼ぶ。高齢な買春者の勃起と射精のために器具を使ったりオーラルサービスをしたりしなければならないのだが、それがとても大変だと言う。一緒に色んな話をしている最中にNさんは「ここで長いこと働いていた女性の喉を裂いてみたら、喉の奥に毛がいっぱい詰まっていた」などと真偽のほどが分からない話をした。おそらく彼女たちがここで働きながら、積もりに積もった思いがその話の中に込められていたのだろう。彼女たちにとって「旦那」の買春の相手をすることは、孤独を慰めたり暖かさを分かち合ったりすることではない。「男らしさ」を証明しがたい旦那の勃起と射精ができるようにしてやり、それに対する代価を受け取ることだ。もしも旦那たちを満足させてやれなければ、彼らはその女性についての噂を広め、その女性には客足が途切れることになる。旦那衆は自分が出したカネに見合ったサービスを期待してここに来ているのだ。

2019年、ある買春者が写真を撮ってインターネットに上げた。「お姉さんが写ってるみたいよ！」と知らせてくれた女性は、自分もやられるのではないかと心配げだった。写真を撮られたOさんはその買春者がお得意さんなので、客が撮るのを断り切れなかったと言った。Oさんは告訴することも、削除要請の支援も受けようとしなかった。そのような対応はむしろ目立ってしまうのではないかと怖がっていた。時間が経てば忘れられるから、早く忘れられればいいと言った。

何年か前に、日本の風俗店で買春者に不法撮影［盗撮］された映像をインターネットで見つけた別の女性も、支援を受けて解決することをためらったという。その理由は、同じように自分が目立つことを心配したからだ。以前から性売買女性たちは買春者が写真や動画を撮らないか、不安にかられ気をつけていた。相手のコートやカバンを整理してやるふりをして、買春者に分からないように撮影装置を隠していないか確かめるという。

テレグラムというサイトのn番ルームの恐怖は、すでに彼女たちにとって目新しいものではなかった。性売買の現場で買春者が公然と欲求してくる目録には、そのような映像を撮影することから、時には撮影された性搾取の映像を一緒に観るものまで含まれていたためだ。女性たちが性売買をすることになった「決心」が言葉通りの自発的な決定や同意を意味しないように、このような要求に対する拒絶も受け入れも、現場では女性の思い通りにはいかない。

n番ルームをはじめデジタル性犯罪、サイバー性暴力・性搾取の形態にも、性売買のルールはそのまま当てはめられる。これらは欲望を発散するための一種のプレイとされ、抱主を兼ねた運営者たちが代価を受け取り、自分が「統制」「管理」する女性の体を利用できるよう多数の買春者と共謀する。n番ルームの加害者たちが被害者を指した言葉「俺の奴隷」もまた、あまりにも典型的な抱主の言い草だ。n番ルームもまた、その対象が10代女性でなかったならば、「同意」さえあったならば、性売買は「構わない」とされる世の中で、数多くの性売買形態のうちのひとつに過ぎないと片付けられていただろう。

第6章　原注

Ⓐ 韓国では、長い間、国家が性売買産業を育成し煽っておきながら「貞操を失った」「淪落女性」を非難し、「要保護女性」とか「淪落憂慮女性」などと称して、彼女たちを社会的に更生させなければならない集団だとした。女性たちは社会的指弾のなかで自らが堕落したと思い込み、倫理的な自己検閲と自己否定の統制に閉じ込められてしまう。こうすれば男性の買春者集団は国が「許してくれた」買春市場のなかを感泣しながら転々として、結局このような統制構造を受け入れることになる。性売買を管理し、実質的利得を得てきた国家と権力は、烙印と許容を行き来しながら裁く側に居座るあいだ、国民一人ひとりを罪人に仕立て上げ、巧妙な統制を行った。

Ⓑ *Länsstyrelsen Stockholm, The extent and development of prostitution in Sweden, 2014.*

Ⓒ 2009年、悪徳サラ金業者の組織が劣悪な環境におかれた性売買女性たちを対象に、「日収［元金に利息を合算した一定の金額を日々集金すること、またはその借金を指す］」を使うようそそのかして高利をむさぼり取った。利子の返済が遅れると女性たちを監視して性売買を強要し、その場で性売買代金を奪っていった。「仕事」を休む女性たちには暴言を吐き身体的暴力を加え、時には女性たちを集め下着を脱がせてカネを隠していないか検査するなどの行為も行った。女性たちどうしで互いに監視するように仕向け、誰かが逃げ出したら残った女性にその借金を上乗せし、逃げた女性を探しだすために先頭に立たせた。この事件の加害者だったサラ金業者は実刑判決を受けた。加害者夫婦は法廷陳述に立ち、市場で屋台を引きながら苦しい生活をしているので善処してくれるように訴えたのだが、出廷の際には外車に乗ってやってきた。当時は他の性売買業者のように、この地域でもやはり管理、統制が厳しく、旅人宿にいた女性だけ仕事ができて、サラ金業者ににらまれるとそこでは営業できなかった。その後2013年、組織暴力団関連のサラ金業者が新たに入ってくると、恐喝、脅迫、性売買強要などの被害状況が再発した。

おわりに——私たちみなが性売買のなかにいる

これまで私は自分の活動を説明するとき、「フェミニズム的価値で反性売買運動をしている」と述べてきた。だが、これまで決して短いとはいえない期間この活動をしてきたにもかかわらず、ある瞬間、不安にかられ動揺してしまうことがある。フェミニズム的価値判断と反性売買運動は、永遠不滅の真理命題などではなく状況的倫理だからだ。動揺するのは必然的で、また必要なものだ。

状況的倫理による活動なので、つねに自らが何をしているのか自覚すべきだということを忘れたことはない。ただ日々目の前にある活動を通じて、私がつくり上げようとする「何か」がある。その「何か」というのは不変不動のものではないが、自分が正しいと信じる立場と価値によって、自ら選択したビジョンだ。フェミニズムは矛盾に耐える力、境界を消滅させる行動、多様性を追求する意志が必要だ。

女性人権法として性売買防止法をつくりたかったが、あれこれ残念で充分ではないものの、法律は制定された。その過程で相談や支援活動を行い、今でははるかにたくさんの活動家が性売買女性の支援システム内でともに活動している。私はときに自嘲を交え、「制度化された」と言う。

暮らしの変化、世の中の変化を夢見て実践する「運動」をやろうとしたが、ある瞬間、耐えられないような運動の軽さと現実の重さにうちのめされてしまう。相談を受けつつも、正面からぶつかった多くの矛盾の前で倒れそうになるのはしょっちゅうだ。実践する自分自身の弱さも痛感するが、もっとも大きな無力感に苛まれるのは私が信念をもって行動してきた価値を疑ってしまう時だ。だが、結局こうした弱気や無力感こそ「省察的運動」を続けられる土台だと思う。私はつねに正しいわけではなく、私の判断はベストではないかもしれない。それでも、どんなときでも、その場でその状況における最善を尽くそうと努力する。

アフリカの草原で餓死寸前の少女と、その少女が死ぬのをじっと待っているハゲワシ。そんな様子を写した写真がある。この写真を撮ったカメラマンは１９９４年にピューリッツァー賞を受賞したが、シャッターを押した3秒間、少女のことを放って何もしなかったとして多くの非難にさらされた。カメラマンは36歳で自殺した。私はここで彼の過ちを論じたくない。それぞれ別々のやり方でその状況に直面したけれど、カメラマンもその写真を見て胸を痛めた人たちも、心を動かされた感情は同じ人間としての憐憫や共感だっただろう。即物的な慈悲などではなく、自ら同じように胸を痛める共感。このような感情こそが私たち、そして私をつき動かし、何かに参加させる。

相談と支援活動は、施し（ほどこ）の分かち合いではない。私をつき動かす原動力はまさに性売買のまっただ中にいる私、人間としてのひ弱さとふがいなさを併せもった私自身と出会うことだ。ただ、この普遍的共感に付け足すべきものがあるとすれば、それは構造的脈略への理解だ。この構造が人間のひ弱さをどのように利用するのか、とりわけ性売買の構造においては経済的搾取をどう見るのかが重要だ。

性売買は社会の暗い階級構造を集約した巨大な搾取の市場だ。性別と資本と人脈で人間のランクづけを行い、威力を行使し、暴力を正当化する産業だ。この暴力の前に自由でいられる社会のメンバーはいない。人権と平等に対する意志さえあれば、この巨大で根深い暴力の実態を直視するのはそれほど難しくはない。性売買は特殊な別次元の現象ではない。性売買について知り理解するために努力するということは、自らが属するこの社会を知り理解しようと努力することだ。すべてはつながっており、私自身もそのなかにいる。

用語辞典（50音順）

［訳注］原文の「用語辞典」を50音順にして番号をふった。

	用語 日本語	用語 韓国語	意味
01	按摩施術所	안마시술소	25の「トルコ風呂」の項を参照。
02	イエローマガジン	황색잡지	性的刺激に満ちた記事や写真を掲載した男性向け成人雑誌を指す名称だった。1970～1980年代に人気を博した『サンデーソウル』が代表格だった（1991年廃刊）。
03	インテリア	인테리어	挿入時の刺激を強くするために男性器の周辺を傷つけたり性器増大・性器周辺にシリコンボールを埋め込む手術を受けたりするなど、男性器を変形させることをいう。
04	MT費	MT비	09の「口座」の項を参照
05	OP（ルーム）	오피（방）	［SOHO型物件を意味する韓国の造語（オフィス＋ホテル）］オフィステルで行われる性売買の略語。ワンルームマンションやオフィステルに買春者を出向かせるタイプの運営方式で、業者が部屋を用意しておき性売買を斡旋する。かつて安宿で性売買が行われていた頃には「旅館バリ」と呼ばれていた性売買のニュータイプといえる。
06	外交	외교	ツケの飲み代を集金する遊興酒店の営業スタイルにちなむ用語。経営者が店のマダムにツケを集金する旨電話するよう指図すると、マダムは経営者から渡された「サインした紙」をもとに集金の電話を始める。電話一本で店の集金業務をマダムにやらせるのだ。「外交」の内容は電話、客の求めによっては直接会っての食事の接待、無料で「二次」［第1章脚注★14参照］の性売買をさせられることさえある。店ではこれを「外交」と呼び、マダムの仕事と決めている。

	日本語	한국어	説明
07	休憩テル／休憩室	효게텔／휴게실	小さなベッドが置かれてカーテンなどで仕切られており、オーラルサービスなどを提供する店で、「男性専用休憩室」ともいう。
08	クソ客	진상	長時間にわたって客の相手をしなければならない性売買女性にとって「クソ客」とは、通常の商取引でいう「嫌な客」にとどまらないきわめて恐ろしい存在だ。料金を支払わない、「二次」のテーブル席で度を超えた行為に及ぶ、暴言や侮辱をする、「二次」［第1章脚注★14参照］のために女性を連れて出たあと女性を店に帰さないなどさまざまだが、性売買の現場では「クソ客」から命を脅かされる場合もままある。
09	口座（マダムMT費）	구좌（마담 MT비）	店が雇うマダムに性売買女性が支払う「取り分」の一種。雇われマダムが「女性（アガシ）」を管理し、客との仲介をして店の売上を管理する中間管理費を従業員女性に転嫁するシステムが定着している。
10	皇帝観光／皇帝ゴルフ旅行	황제관광／황제골프여행	好みの女性を「チョイス」（18参照）して旅行に同行させ、サービス、性売買の提供までセットになったパッケージ旅行商品で、「皇帝ツアー」「エスコート観光」とも呼ばれる。「エスコート観光」より女性の「サイズ」（12参照）が上質だという触れ込みで「皇帝観光」「皇帝ゴルフ旅行」などと称して旅行代理店が宣伝している。
11	固定（指定）	고정（지정）	決まった店に出勤して働く女性。「テンパー」（24参照）のような高級ルームサロンほど、店主が「客のレベルに見合った」「質の高い」女性を置くことがイメージ戦略に利用され、固定を置くことが多い。
12	サイズ	사이즈	女性の年齢、容姿、体形を品定めするために斡旋業者と買春者が使う用語。女性は「サイズ」のために整形手術や美容に多額の費用を投じざるをえない構造に置かれている。同様の用語で「マインド」は真心こめてサービスする姿勢のことで、そうした気持ちで買春者に接しているかが評価基準である。

No.	日本語	한국어	説明
13	作業	작업	常連客にしてチップやスポンサー料を受け取るために買春者を誘惑するなどの行為を指す。または店で行われる性売買行為を指す。同席した客が何人でも、女性が何人でも、全員で「作業」することもあり、「作業用」の部屋を用意してある場合もある。このとき店は「作業」した女性に部屋の後片付けの費用として1万ウォンを支払わせることもある。経営者は売上確保や客の誘致のために「作業」が可能だということを宣伝し、事前に買春者と「条件」について合意する。
14	座布団屋	방석집	複数の店が密集する集結地の形態をなしており、ビール屋、ビール洋酒屋、麦洋屋とも呼ばれる。個室に入った女性の人数分のビールケースを客に注文させ、室内で「裸体ショー」、「変態ショー」、性売買が行われるが、性売買は店外のモーテルなどと連携して行われる場合もある。
15	銭主（せんしゅ）（前払代行業者）	전주（쩐주）	性売買の店の女性を対象に、経営者に代わって前払金を立て替える業者で、大規模風俗店などで多く利用される。経営者は資金不足で前払金を支払えないのではなく、当該女性が逃亡したり警察の取り締まりに引っかかったりする際の損害を回避するために、「銭主」からローンのかたちで前払金を立て替えてもらい、それを返済させるのである。
16	チェック	체크	ルームサロンや「手引き屋」（22参照）など「固定」（11参照）で出勤する女性を置く店の場合、その日ごとに「二次」［第1章脚注★14参照］が可能かどうかを「チェック」するリストが控え室に貼り出されており、出勤時に記入させる。前払金が多い、指名客がいる、客が「二次」を求める場合などは「チェック」とは無関係に拒否しにくい構造である。
17	チケットタバン（茶房）	티켓다방	タバン（茶房）と呼ばれる喫茶店に勤務する女性が、飲み物を出前する際に一定金額の「チケット」を購入した客と一定時間をともにすごせるようにする性売買の営業形態。ホテル、モーテルなどで「チケット」を利用する場合は大半が性売買が行われる。出前専門のタバンではモーテルなどで性売買が行われる場合が多く、市街地のタバンは大半が出前のみまたは店舗での営業となる。店舗で営業するタバンではオーラル、手コキ、タッチなど性売買類似が行われる。

2000年代初めまで10代女性が性売買に足を踏み入れる代表的な業種だった「チケットタバン」だが、最近では脱北者や外国から移住してきた女性に置き換わっている。

18 チョイス　초이스

性売買の店を訪れた買春者に、店の「女性」を陳列よろしく並ばせて眺めさせ、気に入った「女性」を選ばせること。この「チョイス」にはいわゆる「初見世」も含まれる。胸を見せる、下着を下ろさせるなどの屈辱的な行為も含まれる。こうした「初見世」はサービスの一環とみなされ、買春者も入店時のシステムとして当然視している。

19 T.C.　T.C.

「Table Charge」の略で、遊興酒店で客が女性のサービス（接待行為等）を受けるために支払う料金。「手引き屋」（22参照）の場合は時間制、風俗店は客が帰るまで部屋にいるという条件の金額である。

20 手コキ部屋　대딸방

女性の手で客の性器を刺激して射精させる店で、さまざまな性売買業者の変種のうち古くから存在する店だ。「대（テ）」は「代わり（대신（テシン））」あるいは「女子大生（여대생（ヨデセン））」の意味でも使われる。会員制で営業され、一般的に探すのは簡単ではない。

21 鉄砲玉　총알

買春男性のあいだで用いられる用語で、性売買の料金がいくらなのか情報共有の際に使用する。

22 手引き屋　보도방

国語辞典によると「手引き屋」とは「団欒（だんらん）酒店、遊興業所などに、酌や性売買をする女性を供給する事業者」である。つまり酒席で「手引きを頼む」といえば「女性を呼んでくれ」という意味だ。

店が女性を雇用し管理するかたちだった1990年代までは紹介業が優勢だったが、2000年代からはその都度必要な人数を供給する「手引き屋」が増えた。性売買の斡旋の際、紹介業は短期間でも雇用した女性を紹介して紹介料を受け取るのに対し、「手引き屋」は必要に応じてオーダーごとに女性を供給して手数料を受け取る。これら紹介業者は自分たちの管理する女性への統制権を握り、地域や業種ごとの営業圏域内で店と「前払金」交渉を行い、小規模店どうしの競争の激しい地域では「手引き屋」の経営者が談合して手数料を引き上げたり優越的な地位を濫用する場合も多い。同業者組合に所属しない「手引き屋」を利用する事業者を密告するなどの行為もままある。「手引き屋」が性売買女性供給の主流になってからは「手引き屋」経営者による女性搾取、脅迫などの事件が急増し、２０２０年には「手引き屋」を経営していた人物が地方議会の補欠選挙に立候補して問題になったりした。女性の身体を利用して利潤を上げるためには手段を選ばない斡旋業者といえる「手引き屋」は、自分たちは性売買女性の安全に責任を負っており、大金を稼がせてやっていると主張している。

23 点5 쩜오

遊興酒店であるルームサロンの一種で、テンパーよりレベルの低い店という意味。

24 テンパー 텐프로

「上位10％」に該当する「サイズ」（12参照）良好な女性のみを置いているという意味で「テンパー」という。主としてソウル市江南（カンナム）地区の有名なルームサロンや遊興酒店がこれに該当する。

「テンパー」で働いていた女性は「チョイス」（18参照）が厳しくて耐え難かったという。ビル1棟まるまるひとつの店で、スタッフと客の利用するエレベーターも分けられているほど大規模な店で働いていた別の女性は、暗黙のうちに薬物を強要する雰囲気があったので店を辞めたという。

通常は、「固定」（11参照）の女性がテーブル席でサービスをし、歌やダンス、テーブルショーをして盛り上げる女性も別途置いている。また、客が望む場合は「二次」［第1章脚注★14参照］の性売買をする女性を別途「手引き屋」（22参照）などから呼んで「チョイス」させる。この店で働いていた女性によると、テーブルサービスをする「固定」の女性は「商品価値」の維持のために性売買をしないのが原則で、ＶＩＰがスポンサーになって一種の「恋愛」をする。「テンパー」より小規模だが女性のレベルは同等という意味の「テンカフェ」があるが、芸能人［元ＪＹＪの］パク・ユチョンによる性暴力事件が起きたのも同種の店だった。

25 トルコ風呂 터키탕

浴場型の性売買の店で、日本由来だ。なぜトルコ式の浴場という名称になったかはっきりしないが、トルコ当局から公式に抗議があったため日本は「ソープランド」、韓国は「蒸気風呂」と名称変更された。

韓国では「性売買防止法」制定前後に「蒸気風呂」の看板はすっかり消え、「按摩施術所」に取って代わった。男性専用浴場／サウナである「トルコ風呂」は接客員の女性が体を洗いマッサージと性売買をフルコースで行う場所だった。現在の「按摩施術所」も浴室にマットを設置して全身の性的マッサージをし、手コキなどの類似性売買1回、ベッドに移ってさらに性売買1回を含む約2時間のサービスで15万～25万ウォンの料金設定となっている。

26 ナカイ 나까이

性売買集結地で客引き役の女性を指す用語。客を「釣る（낚다〔ナッタ〕）」に由来する呼称だという。性売買女性は「玄関の叔母さん（昼間の叔母さん、夜の叔母さん）」とも呼ぶが、地域ごとにさまざまな呼称がある。通常「花代」（性売買の代金）の10％が取り分となる。［そもそもは日本語の仲居に由来する］

27 ピープショー 핍쇼

女性がヌードショーや性的行為を行う姿を見せる一種の公演型の性売買の店。料金を支払って店内に入ると小さな個室の窓越しにステージが見られるようになっている。

28 麦洋屋〔ビール〕 맥양집

14の「座布団屋」を参照。［ビール（麦酒）・ウィスキー（洋酒）の店ということから］

29 フルサロン 풀살롱

店での「一次」のあと、続けて提携するホテルやモーテルに行って「二次（性売買）」をすることを意味する。企業型の性売買の店が多い。ホテル代まで含めた料金を風俗店で決済後に指定のホテルまで送迎するタイプも含まれる。

30 フルタイム／オールフル 풀타임／올풀

性売買集結地や座布団屋（14参照）でよく用いられる用語で、女性とともに店の外に移動してもよく、性売買の回数制限もない。「オールフル」、「フル」ともいう。24時間基準の料金は100万～150万ウォンほどだが、交渉によって値引きも可能である。移動や拘束時間の負担があるため、女性は常連客に限って応じたいという。

31 前払金 선불금

性売買の店で働くことを条件に、女性が仕事を始める際にかかる費用を含めて、女性に事前に支払われる金銭。性売買市場では女性を縛り付けておくための経営者の主要な統制手段になる。詳細は第4章「コントロールの構造――前払金」を参照。

32 ロング（泊まり客） 긴밤（숙박 손님）

性売買集結地でよく使われる用語で、買春者が10万～20万ウォン程度（女性の年齢、容貌などによって異なる）を支払って7、8時間で1泊すること。買春者の入店、出店時に各1回、都合2回の性売買が行われる。ともに使われる用語「ショートタイム」は15～20分という固定時間に6～8万ウォンを支払い1回の性売買を行うことをいう。

性売買のブラックホール　関連年表

年	月	出来事	補足
1876	2月	日朝修好条規(江華島条約)により朝鮮開国	釜山など次々に開港、日本人の朝鮮への移民開始
1881	11月	釜山の日本領事館「貸座敷営業規則」など制定	居留地日本人対象に貸座敷営業を許可。日本の公娼制の朝鮮上陸、以後日本人居留地に広まる
1894	7月〜	日清戦争を機に日本人性売買業者・女性が急増	朝鮮社会に蝎甫(カルボ)(朝鮮人性売買女性)が出現
1902		釜山に「特別料理店」営業地(事実上の遊廓)が登場、以後各地に広まる	大邱で八重垣町遊廓(1909年)、釜山では移転して緑町遊廓(1912年)が開業
1905	11月	第二次日韓協約(乙巳保護条約)	日本は韓国から外交権を奪い統監府設置(保護国化)
1910	8月	「韓国併合」	朝鮮は日本の植民地となり朝鮮総督府設置
1916	3月	「貸座敷娼妓取締規則」公布(5月施行)	植民地公娼制の確立。朝鮮人女性の「娼妓化」が進む
1932	1月〜3月	第一次上海事変で日本軍が慰安所設置	1937年日中戦争から慰安所拡大、朝鮮人女性の「慰安婦」徴集急増

年	月	出来事	備考
1945	8月	日本敗戦・朝鮮解放	
1946	5月	米軍政下で「婦女子の売買又はその売買契約の禁止」公布（10日後施行）	
1947	11月	米軍政下で「公娼制度等廃止令」（1948年2月施行）	一方で、米軍兵士の相手をする性売買女性急増
1948	8月・9月	大韓民国樹立（8月、李承晩大統領）、朝鮮民主主義人民共和国樹立（9月、金日成首相）	
1950	6月	朝鮮戦争（～1953年7月まで）	戦争後の女性の貧困化を背景に性売買女性の増加
1961	5月	朴正煕、軍事クーデターで政権掌握	以後18年間、強権的な政権が続く
	11月	「淪落行為等防止法」公布・施行	
1962	6月	全国104カ所を「特定地域」（性買売集結地）指定	多くは京畿道・ソウルの米軍基地周辺の基地村
1965	6月	「日韓基本条約」調印	日本との国交を正常化。日本人観光客の訪韓増加へ
1971	12月	朴正煕政権、「基地村浄化委員会」設立	米韓合同で基地村浄化運動はじまる

年	月	出来事	備考
1973	12月	韓国の女子大生が金浦空港でキーセン観光反対デモ	日本の女性たちも取り組み始め、韓・日で反対運動へ
1979	10月	朴正熙大統領被殺事件	その後ソウルの春、光州民衆抗争（1980年5月）、全斗煥による鎮圧
1980	9月〜	全斗煥政権下で「スリーS（スクリーン、セックス、スポーツ）政策、性売買市場の膨張へ	
1987	2月	性拷問事件など女性運動・民主化運動を闘った女性団体が「韓国女性団体連合」（女連）結成	
	6月	韓国全土で民主化要求高まり6・29民主化宣言	大統領直接選挙、言論の自由化など実現へ
1991	8月	金学順が元「慰安婦」とカミングアウト	12月来日、日本政府を提訴。日本軍「慰安婦」問題の国際化
1995	8月	京畿道女子技術院（性売買女性、家出少女の収容施設）放火事件、40人死亡、12人負傷	
1996		女性運動諸団体、性売買問題に対する討論会を相次いで開催	
2000	2月	「青少年の性保護に関する法律」（青少年性保護法）公布、施行（同年7月）	
	9月	群山市大明洞の性売買店で火災事件、性売買女性5人が監禁され死亡	

年	月	出来事	備考
2000	9月〜	群山大明洞火災事件に対し地域の女性団体と女連が調査と再発防止求め声明や集会	性売買問題の全国化へ
2001	1月	金大中政権、女性省設置（現在は女性家族省と改称）	以後、各地の女性団体が女性省の支援で性売買実態調査はじめる
	2月	釜山玩月洞性売買店で火災。性売買女性4人死亡	
	4月	女連「性と人権委員会」傘下に「性売買防止法制定のための専門家会議」設置、法案作成	
	11月	女連が中心となり専門家会議を通じて性売買防止法法案作成、これを国会に立法請願	
2002	1月	群山市開福洞の性売買店で再び火災事件が発生、性売買女性14人（男性1人）死亡。	女連や各地の女性団体が真相究明求め集会、新法制定キャンペーンへ
	7月	国会に性売買防止法の制定求める広域議員決議案提出	
	9月	大邱で「性売買被害女性救助支援チーム」結成（のち女性人権センターに改称）、ホットラインを開設	
2003	6月	盧武鉉政権、国務総理傘下に民・官合同「性売買防止企画団」設置	
	7月	性売買斡旋等行為の処罰および防止に関する法律制定に関する公聴会（法制司法委員会）	

年	月	事項	備考
2004	3月	「性売買防止法」（「性売買斡旋等行為の処罰に関する法律」「性売買防止および被害者保護等に関する法律」）修正案可決	
	6月	「性売買問題解決のための全国連帯」結成	全国連帯は女連の構成団体。現在、全国13地域に会員団体。
	9月	「性売買防止法」施行	ソウル「弥阿里テキサス」性売買女性など500余人、生計保障及び留保求めデモ
	10月	女連と釜山・仁川の性売買集結地の女性代表が面談、「集結地事業」の実施で合意	
2006	10月	「性売買経験当事者ネットワーク・ムンチ」結成	その後「私たちの存在が実践だ」を掲げ、トーク・コンサート開催
2010	7月～	浦項市性売買店で女性8人連続自殺事件（～翌年6月）	前払金による性搾取構造と業者・警察の癒着が明らかに。
2014	6月	米軍基地村女性122人が「韓国内の基地村米軍慰安婦国家損害賠償請求訴訟」	
2019	12月	大邱の性売買集結地チャガルマダン、閉鎖される	

出典◉本書および金富子「関係年表」宋連玉・金栄編著『軍隊と性暴力』（現代史料出版、2010年）から抜粋し加筆（作成：金富子）

なぜ本書は日本で読まれる必要があるのか

小野沢あかね

本書を日本の皆さんに紹介できることをとてもうれしく光栄に思う。著者、シンパク・ジニョンさんは現在、韓国の大邱（テグ）女性人権センターの代表を務めており、性売買の中で苦しみ、傷ついた女性たちの脱性売買支援の第一線に20年近くの間携わってきた方である。

◆私たちとの出会い

本書巻末の金富子「監訳者あとがき」で説明されるように、韓国では2004年に性売買防止法が制定され、性売買業者と買春を処罰するとともに、性売買からの脱出を希望する女性への脱性売買・自立支援の財政的法律的医療的支援を行なう体制が整えられ、フェミニズム団体「性売買問題解決のための全国連帯（以下、「全国連帯」）が支援を担っている。

ここで重要なことは、「全国連帯」は買春を女性への人権侵害として批判し、性売買女性を性搾取の被害者ととらえているが、性を売る行為については非難していないし、すべての性売買女性の非犯罪化をめざしているということだ。だから、性売買女性を「更生」（生活態度を改めさせること）の対象と見ることはない。むしろ、性売買経験当事者のことを、当事者にしかわからない現場の状況を教えてくれる、敬愛すべき仲間ととらえている点がきわめて重要だ。

性売買防止法がもたらした最も画期的な成果が、

「性売買経験当事者ネットワーク・ムンチ（以下、ムンチ）」という、当事者自身による反性売買運動を誕生させたことであり、当事者の参加なくして反性売買運動は成り立たないと著者のシンパクさんは言う。

日本で近代・現代の性売買や日本軍「慰安婦」問題の研究に携わってきた金富子と私は、この「全国連帯」とムンチの活動を詳しく知りたいと思い、2017年から韓国の釜山、大邱、全州（チョンジュ）、ソウル、群山（グンサン）を訪問し、各地の性売買集結地をフィールドワークするとともに、脱性売買支援を行っている女性団体に説明を聞き、「全国連帯」主催の集会やデモにも参加して交流を深めてきた。2019年9月にはソウルで開催された#MeTooデモ「性搾取カルテルをぶっとばせ!」でムンチ・メンバーが発言する様子もみた。

その上で、2019年春には、「全国連帯」代表（当時）のチョン・ミレさんと、同じく「全国連帯」のメンバーで、釜山の女性人権センター「サルリム」代表のビョン・ジョンヒさんを招いたシンポジウム、同年秋には本書の著者シンパク・ジニョンさんを招いたシンポジウムを日本で開催してきた。さらに、日本ではじめてムンチのメンバーを招いた研究会を2019年10月20日に実現するとともに、日本で性搾取問題にとりくむＣｏｌａｂｏ（コラボ）やぱっぷすとムンチとの交流も実現させた。その後、新型コロナウィルスの感染拡大で行き来することはできなくなったが、オンラインによる日韓研究会を頻繁に開催し、本書が韓国で刊行されたことを知ってぜひ日本でも読まれるべきだと考えて出版にこぎつけた次第である。以下に、なぜ私たちが本書を日本の人々が読むべきと考えたかを簡単に記したい。

◆性売買女性の声

本書では、韓国の性売買の実態が著者の20年間に及ぶ豊かな現場経験と全国的な性売買実態調査という確かな証拠に基づいて明らかにされており、日本では類書を見ない。とくに性売買当事者女性たち自らが語った性売買経験については「第4章　商品とされた女性たち」をぜひ注目してほしい。

多数の性売買女性に会ってきた著者は言う。買春の相手をするためには、買春者の様々な身体的特性や性的嗜好を受け入れなければならない。「毛深い性器で挿入時に疼痛が走る」ことや、激痛を伴う体位、吐き気を催す買春者の体臭等をこらえ、ポルノで見たことを実現させようとしたり、侮蔑的な暴言や暴力を振るってきたりする買春者を、あらゆる方法を駆使して射精させなければならないのが性売買だ。身体的特性や体臭は個々人の個性だが、性行為の相手をする女性がそれらをどんなに嫌だと思っていても、金の力で強制的に受け入れさせるのが買春だ。

「性売買女性として生きていくということは、このような他人の性的嗜好に道具のように使われることを繰り返す過程」であると著者は言う(第4章)。しかも、性を買うことを男性の当然の権利だと思っている社会においては、性売買女性に対する性暴力を性暴力と認めさせることはたいへん難しい。

「自発的に」性売買に参入しているように見えても、性売買の現場では女性は徹底して「商品」として選ばれる立場におかれる。遊興酒店で買春客が相手の女性を選ぶことを「チョイス」と呼ぶが、この「チョイス」も女性たちを苦しめる。客に選ばれるために女性たちは、化粧はもちろん整形やダイエットに努めなければならないし、「チョイス」においては、人前で胸を見られ、下着を下ろされて侮蔑的な品評がなされるなど、女性たちは強いストレスと競争にさらされている。しかし生きていくためには耐えなければならない。

著者は「女性たちが性売買に『同意』するというのはフィクションに過ぎない」とも言う(第4章)。貧困な女性たち、親の虐待によって自宅に居づらくなった女性たち、障がいを持つ女性たち、レイプ被害を受けた女性たちなど、社会的に弱い立場に置かれた女性たちが、その女性を利用して儲けようとする業者をはじめとする様々な人々に追い込まれて性売買に参入させられている状況が、著者の出会った多くの女性たちの具体的なライフ・ヒストリーから明らかにされているところはぜひ読んでいただきたい部分だ。

なお、著者はこの第4章で、たびたび性売買のことを、わざわざカギ括弧をつけて「仕事」と書いている。しかしそれは、著者が性売買を他の仕事同様の仕事と見なすべきだと考えているからでは全くないことに、念のため注意を喚起しておきたい。むしろその逆である。著者は「仕事」という言葉をあえて使用することによって、仕事という言葉が一般的に指す内容と、性売買――他人の性的欲求を満たすための商品にされてしまうこと――との間に大きな違いがあることを皮肉を込めて示し、そのことで性売買の非人道性を強調しているのである。

◆性売買斡旋業者たち――性搾取のしくみ

性売買女性のことだけでなく、むしろそれ以上に性売買斡旋業者と買春者の実態に目をむけるべきと主張し、その詳細を明らかにしている点も本書の重要な意義である。

性売買の現場では、女性が自発的に性売買をしているようにみせかけるために様々なタイプの業者が、あたかも親身なおじさん・おばさん・友人のようなみせかけで細分化した役割を受け持っている。夫・恋人という関係を利用して妻や恋人を性売買に仕向けるケースも、当事者女性たちの証言から明らかだ。特に、女性たちを性売買から抜け出せなくする古くからある方法は「前払金」のシステムだ。働くために必要な経費という名目で店が女性たちに利子のついたなかなか返済できない借金を負わせて人身拘束する方法が根強く続いている。この「前払金」は、近代日本の公娼制度下で女性たちを人身拘束するために使用された「前借金」のシステムに端を発しているのだが、詳しくは本書を読んでほしい。

さらに性売買店経営者以外にも、貸金業者、性売買女性に整形手術や妊娠中絶手術をする医者、彼女たちの宿舎となるワンルームマンションの大家、クリーニング店、化粧品業者、ヤクルトレディ等まで、経営者に加勢して性売買女性から利益を得ている(第3章)。しかも多くの場合、公権力はこれらの業者と癒着している。

◆買春者たち――「クソ客」

本書によれば、2003年のアンケート調査では、回答した韓国男性の2人に1人が買春したことがあると答えているということだ。そして無数の買春レビューサイトが存在し、買春者たちはせっせと投稿して、より多くの「いいね」をもらおうと競争している。

そうした買春者の実態について、性売買経験当事者女性たちの証言に基づいて記されている部分はひとき

わ興味深いくだりである。買春者は、支払った金に見合った行為を性売買女性に要求する。換言すれば、性売買女性は金を支払われなければ買春者の相手などしないことは当たり前のことであり、客から見てセックスを楽しんでいるように見えるとしたら、それは買春者を早く射精させて「仕事」を終えるための演技にすぎない。にもかかわらず買春者はしばしば、自分にだけは本気であって欲しいと願い、そうでないと怒りをぶちまけてくる。性売買女性をモノ扱いしているくせに、その女性の好意を得ようとする買春者の不条理な行動は性売買女性を苦しめる。性売買女性に入れ込んで借金を重ねて破産する男(その結果、男の母や妻が店に怒鳴り込んできて性売買女性を窮地に陥れる)、よれよれの服を着て明らかに貧しいのに頻繁に性売買に通ってきて王様のように尊大に振る舞う男、他の男にみせびらかすためにペニス増大手術を受け、あまりにも大きくなったため性売買女性たちに嫌がられている男……。韓国の性売買女性たちはこうした客を「진상(「ゲス客」のような意味)」と呼ぶが、本書では「クソ客」と訳した。

大規模な性産業を有する一方で夫婦間のセックスの回数が低いといわれる韓国の買春者たちは、結局のところ「セックスから疎外された」「(買春)市場の奴隷」(第3章)でしかないのではないか、と著者は言う。しかも、韓国のホモソーシャルな社会の中心に性接待を基本とする遊興接待文化が存在しているのだ。性売買の店ばかりでなく、様々な業種が性売買女性から利益を上げていること、私たちの身近に存在するあらゆる職種の男たちがきわめて日常的に買春していること——これらのことを考えれば、直接性売買をしていない女たち・男たちも皆、「性売買のなかにいる」と言っても過言ではないのではないか。ならば性売買について傍観者でいることはできないはずだ、ということを本書は読者につきつけている。

以上のような本書の内容については「韓国の性売買が特にひどいだけで、日本ではそのようにひどい性売買は行なわれていない。自発的に好きで性売買をしている女性が多い」と思う読者も多いことだろう。しかし、韓国での性売買の蔓延は、実は植民地時代に日本が朝鮮半島に導入した公娼制度に端を発しているのであり、現代でも韓国と日本の性売買は密接に関係していることが本書には書かれている。この点については、この小文の次に掲載している仁藤夢乃さんの「日本の性売買の現場から」と、金富子「監訳者あとがき」も読んでほしい。本書の内容は日本に住む私たちにも深く関係しているのだ。

◆「セックスワーク論」を越えて

近年世界で、そして日本のフェミニズムの間にも広まりつつある「セックスワーク論」がいかに実態から乖離した机上の空論であるかを主張し、性売買政策に関するより良い選択肢は何なのかを論じている点も、日本の人々に注目してほしい重要な点だ。

「セックスワーク論」とは、性を売る行為を他の職業同様の労働と見なし、性売買斡旋業は普通の職業、買春行為はただの消費行動であるとみなす論である。そして、性を売る側だけでなく、性売買斡旋業者と買春者の非犯罪化を主張する。つまり、彼らの主張する「性売買の非犯罪化」は、性売買斡旋業者と買春者を非処罰化するという点に明確な特徴がある。そうすることで、性売買女性は労働者、すなわち「セックスワーカー」として権利を主張しやすくなり、「労働」条件が良くなるとする主張だ。これに対して、買春者と性売買斡旋業者の行為を人権侵害とみなしてその処罰化を主張し、性を売る女性たちを被害者ととらえて性売買女性の非犯罪化を主張して、その脱性売買・自立支援を行なう本書の立場は「北欧モデル」と称されるものであり、「セックスワーク論」とは決定的に異なる。

韓国でも、性売買女性を被害者とみなすことが、彼女たちを受動的な存在にしてしまうとか、反性売買運動が女性たちの生存権を脅かしている等の主張が一部のフェミニストによってなされているという(序章)。実は2002年当時には、シンパク・ジニョンさん自身もこうした議論に耳を傾け、性売買のなかを生き抜いている多くの当事者がいるのに、簡単に「性売買はいけません」などと言えるはずがないと考えていた。そして、もし性売買の現場に足を踏み入れなかったならば、極端な搾取さえなくせば、性売買をしながら女性たちが権利行使できるようにする方向が正しいと自分も考えていたかもしれないと言う。

しかし、20年間に及ぶ現場経験を通じて無数の搾取の現実を目の当たりにし、シンパクさんは「セックスワーク論」に反対する現在の意見をはっきりと持つようになった。他人の性的欲望に道具のように使用されて苦しむ女性たち、様々な非人道的な方法で性売買女性たちを利用して儲けを上げる業者たちを目の当たりにするなかで、性売買を他の職業同様の労働と見なしてしまっては、そこから離脱したいと願う性売買女性たちに対して諦めろと言うに等しいと著者は言う(日本語版序文)。

また、性売買女性を被害者ととらえたからといって、彼女たちを受動的な存在にしてしまうことにはならないどころか、逆であることを後述する「性売買経験当事者ネットワーク・ムンチ」の存在を根拠に証明している。

さらに、性売買斡旋業者と買春を合法化・非犯罪化したドイツ・オランダの性売買を実際に視察するとともにそれらの国々の活動家とも交流し、性売買斡旋業者・買春者の非犯罪化が、性売買女性の状況を改善しなかったどころか、逆にいっそう彼女たちを苦境に陥れたのではないかと伝えているところも傾聴に値する部分だ(第5章)。

シンパクさんは言う。国家が性売買を職業として認めた国では、性売買斡旋や買春を批判したり制約することが困難となる。そして、性売買女性を能動的な「セックスワーカー」と見る認識は、性売買の中で苦しむ女性たちの苦しみを「仕事」に適応できない個人の問題に矮小化してしまい、女性たちは適応できない自分の問題だと自分自身を責めてしまう。さらに買春と性売買斡旋業者を非犯罪化したニュージーランドでは、性売買が企業化してサービス競争が激しくなったために様々なサービスが業者によって生み出され、暴力的行為も客の「性的嗜好」とされるようになり、立場の弱い性売買女性の現場はいっそう危険になってしまったと伝える。「セックスワーク論」を支持していたが、現在では性売買業と買春者を処罰する北欧モデルの支持者になっている活動家の証言も興味深い(5章)。

◆世界の性売買政策

なお、第5章で著者が類型化している世界の性売買政策については、少し解説が必要だろう。

歴史的に見ると、性売買の政策には大きく分けて禁止主義・合法規制主義・廃止主義の3つがある。まず、禁止主義は性売買を性的堕落と決めつけ、性売買行為が社会の公序良俗を害するとみるので、性売買に関連したすべての者、すなわち、性を売る側、買う側、性売買斡旋業者すべてを処罰する法律である。代表的な国は米国(ネバダ州を除く)だ。次に、合法規制主義は、古くは国家が性売買を公認する公娼制度のことをさし、戦前の日本はここに入る。一方、廃止主義とは、こうした公娼制度を廃止(廃娼)して、性売買斡旋業者を処罰の対象とした法制度を指す。

このうち廃止主義は性売買斡旋業者を処罰するが、性売買女性を処罰しない点が重要だ。ただし、廃止主義では、買春は処罰しない。また、性を売ることに対する道徳的非難を克服できていない。日本の売春防止法はこの廃止主義に入れる考え方が一般的だ。同法は、性売買斡旋業者への処罰と、性を売る女性への保護を規定しているものの、「更生」(生活を改めさせること)措置や「売春」目的で客を勧誘した者の処罰規定(第5条)等の問題を備えている。そして、日本に関してさらに特筆すべきことは、売春防止法で処罰の対象とされたはずの性売買斡旋業者が、実際には「風営法」という別の法律で半ば公然と営業できていることである。

こうした廃止主義の問題点を乗り越えているのが北欧モデル(1999年にスウェーデンで施行された買春罪が最初)で、これは新廃止主義と呼ばれる。これは買春を暴力ととらえ、性売買斡旋業者のみならず買春者を処罰し、他方で性売買女性に対しては道徳的に非難せず、性売買に流入せざるをえない条件となる貧困や差別、暴行などから保護し、性売買から抜け出せるようサポートするというものだ。

他方で近年新たに登場し、この新廃止主義とは逆の立場、すなわち性売買業者・買春者の非処罰化を主張するのがセックスワーク論であり、「非犯罪主義」とも呼ばれるものである。

しかし著者は、こうした性売買政策の歴史的経緯はさておき、現代の性売買政策について、①性売買禁止/廃止主義、②性売買許容主義の2つに大きく分け、表2にみるように、①のなかに、性売買に対する見方と処罰する対象に関して全く異なる2つの政策、すなわち性道徳的禁止主義と新廃止主義（北欧モデル）を入れている。前述のように、著者は新廃止主義（北欧モデル）を支持し、性道徳的禁止主義や性売買許容主義には反対の立場である。禁止や廃止という言葉が使用されていても、性売買の何がどういけないのかという考え方の違いによって、禁止・処罰の対象が大きく異なることを明確に比較できるようこうした分類にしたのだと言う。そして、日本の売春防止法について著者は、同法が「売春」を「善良の風俗をみだす」としていること、「売春」目的で客を勧誘する行為を処罰の対象としていること（第5条）にもとづき、性道徳的禁止主義に入れている。

◆「性売買経験当事者ネットワーク・ムンチ」とともに

最後に、本書もその第6章で論じているムンチの反性売買運動に触れて、この小文を終えたい（なおムンチは2021年に本を出版した。私たちはこの本の翻訳も現在すすめている）。前述のように、ムンチは「全国連帯」と連帯しながらも、反性売買のための独自の活動を行なっており、「全国連帯」はムンチを、当事者にしか知ることのできない性搾取の現場を教えてくれる、そして、性搾取構造を変革するためにともに闘う敬愛すべき仲間ととらえて連帯している。

2006年に発足したムンチは、自らの性売買経験を互いに語り合うことから始まった。その目的は、性売買が女性に対する暴力であるという認識に基づき、性売買の根絶を目指すとともに、性売買女性を非犯罪者化して被害者に対する支援を広げ、当事者運動を通じて、性売買の暴力的本質を明らかにすることだという。もちろん、韓国の当事者女性にも様々な立場があり、ムンチとは逆の立場の「セックスワーク論」を主張する当事者もいる。私たちはどの性売買経験当事者の声も敬意を持って聴くことが重要だろう。

しかし、ムンチ・メンバーが語った次のような話に、私たちはとりわけ傾聴すべきではないか（以下は、2019年10月20日に東京で開かれた研究会でのムンチ・メンバーの発言から）。彼女たちは、自分たちが性売買のなかにいたときには、その暮らしをしかたのないものと考え、性売買斡旋業者や客がどんなに「クソ」でも、人権侵害をされているなどとは思っていなかった。性売買以外に生存手段があると思えなかったので、反性売買女性人権運動を敵対視していたし、性売買防止法制定当時は、同法に反対するデモに業者の命令で参加していたメンバーすらいた。しかし、どうしようもない苦しさのなかで支援にたどり着き、脱性売買を成し遂げて性売買以外の暮らしが可能になった後になってはじめて、自分の性売買経験は人権侵害であった、性搾取であった、と考えるようになったという。

だとすれば、日本に住む私たちも、性売買を脱したいと希望する女性たちの意思を尊重した支援体制を整備し、性売買をしなくてもすむ社会の実現にむけて一歩踏み出すべきではないだろうか。性売買業者や買春者の影響力から離れた安全な場所で、性売買をしていた女性たちが安心して自らの経験の意味を考えることができる環境を整えるべきではないか。そして、彼女たちの声に私たちが敬意を持って耳を傾けるなら、日本でも性売買当事者自身による反性売買の主張が公然となされる日が来るだろう。実はその動きはすでに始まっている。売春防止法の「更生」・「補導」に関する条項を廃止し、困難な立場に置かれた女性たちの意思を尊重して支援をめざす新法の制定に向けた努力が長年にわたって続けられている(戒能民江ほか『婦人保護事業から女性支援法へ』信山社、2020年)。そして、民間団体のColaboやぱっぷすによる、脱性売買支援のためのアウトリーチ活動が精力的に続けられている。こうした中、性売買経験当事者女性たち自身による反性売買の活動が準備中であるということが、仁藤夢乃さんの解説に記述されている。ぜひ、本文とあわせて読んでいただきたい。

本書が性売買に関する日本の人々の認識を深め、そして日本で性搾取と闘う人たちの一助になることを願ってやまない。

日本の性売買の現場から

仁藤夢乃　一般社団法人Colabo（コラボ）代表理事

私は2011年から、性売買の被害にあった少女や女性たちを支える活動を行っている。シンパク氏ら韓国の活動家と、本書でも紹介されている性売買経験当事者ネットワーク・ムンチと、日本で性売買の被害にあった少女や女性たちとの交流・連帯も2017年から続け、力をもらってきた。

この本では、韓国における性売買の実態と、業者の手口、買春者の姿、そして性売買を正当化したがる人たちによって繰り返されてきた言説や、買春男性や権力者たちの連帯により、いかにして買春が容認される社会が維持・拡大され続けてきたかがまとめられている。日本の性売買は、韓国以上に暴力を使わなくても支配が内面化されているが、この本は性売買が女性に対する暴力であることを証明し、これから日本社会が性売買の問題にどのように立ち向かっていけばよいのかを考えるためにも重要な内容となっている。

◆性売買が女性の「非行」問題として語られる

シンパク氏は性売買女性の多くが10代で被害に遭い始めると指摘しているが、日本でも10代の少女たちが、簡単に性売買に取り込まれている。私も家が安心して過ごせる場所でなく、街をさまよう中で性売買斡旋業者に声をかけられ、メイドカフェで働き、15歳で系列の風俗店に売り飛ばされそうになった経験がある。街で声をかけて来るのは、買春者か、性売買業者ばかりだった。日本社会の現状は私が30代になった今も変わらない。

日本では、1990年代から児童買春について、少女たちが自ら体を売り始めたという文脈で「援助交際」という言葉で、大人から子どもへの援助であるかのように語られ続けてきた。こんな風に「子ども」への性搾取を正当化する言葉が一般化されている国は、他に知らない。

そうした少女や女性が警察に補導されれば道徳的批判にさらされ、「非行」として扱われ、指導や更生の対象とされてきた。性売買の被害に遭った女性たちは、心身ともに傷を負い、うつ病になったり、トラウマを抱えるなど、性売買によるさまざまな影響を受けることになるが、そこに対する公的なケアはないに等しい。児童相談所や女性相談などの福祉機関でも、問題行動のある女性、手のかかる子として扱われ、性売買から離れて落ち着いて暮らせる場所を見つけることは容易ではない。そのため、Ｃｏｌａｂｏでは性売買の被害にあった少女や女性向けのシェルターやアパートなどの住まいを開設、運営している。

◆性売買に女性たちを誘導する社会

背景には、性売買に女性たちを誘導する社会構造があり、業者や買春者の手口がある。シンパク氏が指摘しているような暴力や脅し、騙しや借金などにより性売買の現場に閉じ込められている女性たちと、私たちも日本で出会っている。しかし、韓国のように性売買防止法がなく、性売買が当たり前の日常となっている日本社会では、あからさまな暴力や脅しがなくとも、女性たちを支配し、商品化することができる。そのような社会では、脅されても、脅されなくても、女性たちはそこで起きたすべてのことについて、自分の責任だと思わされていく。

今の日本では、性暴力の被害者ですら、「どうしてそんなところにいったのか」「どうしてそんな服を着ていたのか」と責められる。性暴力の被害者が声をあげられない社会で、性売買の被害者が声をあげられるわけがない。性暴力の問題に取り組む専門家たちにすら、性売買の現場はほとんど知られていない。

貧困と虐待、性差別、性売買はセットのように結びついており、性売買を「選択」せざるを得ない状況に女性たちを追いやっている。私たちが出会う少女や女性のほとんどが、虐待や貧困から逃れるために性売買せざるを得ない状況にあったり、はじめは脱いだり触られたりしたくないからと、ガールズバーやコンカフェ（JKビジネスが規制された後に、女子高生を堂々と売り出せなくなった業者らがナースやメイドなどの職業や、アニメや映画、妖精、魔法少女などの世界観を「コンセプト」として売り出す「コンセプトカフェ」の略。飲食店の名目で、少女たちを売り出している）の面接に行ったら「君のレベルだと、ここでは働けない」とか「実は風俗店だ」と言われ、断れない状況で性売買させられたり、知的障害、精神疾患のある女性が騙されているケースに毎日のように出会っている。

シンパク氏が指摘する韓国の状況と同じように、親や彼氏、ホストに売られたという被害も少なくない。業者が少女たちに借金を背負わせ、性売買させる手口も多岐にわたっている。最近では、ホストに合法的に通えない18歳未満の少女たちを狙った「メン地下」（メンズの地下アイドルの略）として活動する男性たちがライブなどのイベントに来るように街なかやSNSで少女たちにしつこく声をかけ、入場料やチェキなどの撮影料を支払わせており、「メン地下」を応援するために、性売買に誘導される少女が増えている。

「本人の選択」として性売買を正当化することは、こうした被害の実態や、背景にある社会構造を覆い隠す。「性売買しかできない女性のためにも性売買は必要だ」と言われるなど、性売買がそれらすべての問題を解決してくれる唯一の方法であるかのように見せようとする業者側の人間もいる。性売買女性は業者や買春者の利益のために何重にも利用され、性売買から抜け出せないと思い込まされる。この状況自体が、社会からの脅しであり、暴力だ。

ここ数年は、NPOなどの人権擁護活動、困窮者支援現場や青少年支援団体にも、業者や買春者が入り込み、団体運営に責任者として関わったり、児童相談所で働いたり、児童福祉の専門家としてメディアに出ている人もいて、業者と支援者の見分けが簡単につかないほどである。

業者はさまざまな方法を使って女性たちを支配し、

ストレス解消のはけ口にとホストクラブを紹介し多額の借金を背負わせて返済のために働かせたり、お金に困っている人に消費者金融を紹介し「すぐに返せる」と騙したり、住まいのない人には不動産を紹介し、見た目が良くない、胸が小さいから稼げないなどと言い整形業者を紹介するなど、さまざまな業者が癒着している。そうして巨額の利益を得た業者らは、その地域の権力者となっている。そして、買春者や業者に近い人間が、政治家にもなっている。

◆性売買と権力の密接な関係

韓国でも公権力が性売買と癒着していることをシンパク氏が指摘しているが、日本でも、警察が業者や買春者の肩を持つことがある。２０２０年、18歳の女性が闇金に借金を背負わされ、返済のために性売買させられていたことを相談したら、警察は「金を借りたなら返すように」と女性を叱り、それ以上の対応をしなかった。また、ＪＫビジネスが国際的な問題となり人身取引だと批判されると、警察は業者や買春者ではなく少女たちを一斉補導した。その際、一番多くの少女を働かせていた店の経営者は、それまで毎日出勤させていた人気1～3位の少女を補導の日だけ出勤させず、２週間後に新たな店を出した際にいち早くその３人を出勤させた。業者が事前に一斉補導があることを知っていたかのような動きだ。こんな偶然があるだろうか。

ＪＫビジネスは「18歳未満は雇ってはいけない」という規制条例をつくることで、事実上の合法化とされた。搾取や暴力の構造は変わらないまま、性売買の本質が問われることなく「18歳未満はだめ」と線引きされたのだ。しかも、その内容は、女性たちの名簿をいつでも警察が立ち寄りチェックできるようにするという女性を管理するものだ。女性が性売買の被害に遭わないようにしたいのであれば、なぜ客の情報を確認できるようにしないのか。

ＪＫビジネスの実態を告発してから、私に対する殺害予告やＣｏｌａｂｏへの爆破予告、誹謗中傷や事実無根のデマの拡散など、さまざまな関係者を巻き込み、私たちの力を削ごうとするあらゆる形での嫌がらせや脅し、心理的・物理的な攻撃が日常になった。

出会う少女たちが役所の生活相談や、児童相談所の職員等から性被害に遭ったり、性売買経験を興奮気味に聞かれたことも、一度や二度ではない。日本一性売買が深刻な街、新宿区の男女共同参画課の男性職員から、Ｃｏｌａｂｏの女性活動家が「寄付すれば、アドレス教えてくれる？」と言われたこともある。女性を外見やふるまい、立場など、あらゆる基準で性的に評価し、選択する側、買う側に立つ意識を持っている男性はあまりにも多く、そこらじゅうに存在している。

２０２１年10月の衆院選でも、買春経験から県知事を辞職した男性が立候補し、当選した。私が「買春歴のある人は議員になるな」と批判すると、「過去のことなんだから」「責め過ぎだ」「名誉棄損だ」とリベラルを自称する男性たちからも責め立てられた。彼は買春辞職の際に、相手の女子大生と「恋愛関係になりたいと思っていた」という。私は、なんて買春者らしい言い訳なんだろうと思った。健全な人間関係を築きたい相手であれば、金で買おうとはしないだろう。しかし、世間は彼の言い訳に同情し、彼こそがかわいそうな被害者であるかのように扱われている。

◆教育現場と性売買問題

韓国では性売買防止法に基づき、小中高校で性売買予防教育を行っているが、日本の教育現場は、性売買の問題に向き合ってこなかった。10代の男子が買春することも少なくないが、お金で女性を買うことの問題を、大人は誰も教えていない。ＪＫビジネスやメイドカフェなど、中高生にとって風俗よりも身近で、性売買の被害と加害の入り口となっている業態について、私が授業で話したとき「自分の好きなものを否定されてひどい」「買う側にも人権がある」と反応する男子生徒は１人や２人ではない。彼らの中にはすでに「性売買する権利」という意識が植え付けられ、「好きでやっている人もいるはずだ」などと買春者に都合のいい解釈を学習している。

先日高校教員向けに講演した際には、「毎年必ず文化祭でメイドカフェの出し物をしたいと生徒から案が出される」と聞いた。少女たち自身にも、男性に従属することや性的に価値が高いものとしてふるまうことが「かわいい」「女らしい」こととして内面化されている社会では当然だろう。私自身もメイドカフェで働いていたときは、実際の客に強烈な気持ち悪さを感じながらも、「客が喜ぶ服を着て、興奮されたり、可愛がられることはいいことなのだ」と思おうとしていた。メイドカフェは、若い少女がメイド服を着て、客を「ご主人様」に見立てて「ご奉仕する」というコンセプトであり、これが学校行事に持ち込まれれば、女子生徒たちは性売買女性のように顔や体形などでランク付けされ、男子たちは「女を買う」ことを覚え、生徒の関係性は男女で支配する／されるものとなる。金さえあれば、誰かの主人になることができる、自分に従わせることができるという快感を男子に、女子には男性や権力に従属する存在であれということを学校が教えることに加担している。教員が自身のメイドカフェ通いや、「アイドルでは誰が好きで、このクラスでは誰が可愛いと思う」などと堂々と言うこともある。生徒に性暴力をふるったり、買春する教員も少なくないが、買春も生徒に対する性暴力も、自身の立場や権威性を使って行われる構造的な暴力である。

性売買が日本で最も深刻な街、新宿歌舞伎町で開催している無料カフェ。食事や生活用品、衣類や宿泊場所などを提供し、路上をさまよう少女たちとつながるきっかけの場となっている〈提供：Colabo〉

◆性売買は女性に対する暴力である

性売買の現場に17年以上関わってきた私が確信を持って言えるのは、お金を支払うことは、もっとも手っ取り早い支配の方法であるということだ。買春は本能ではなく、金銭を介して女性を買い、支配することである。買春者たちは、お金を払うことで、性売買女性に対して、何をしても良い相手だと思い、元を取ろうとする。金銭を介さない関係性ではできないようなことを女性たちにさせ、自分たちが力を持っていることを確認しようとする。また、男性たちは買春情報を共有しあい、より良い買春経験をするために一生懸命で、「あの女はどうだった」などと、女性たちを評価の対象としている。

「買春者は世界に5人しかいないのかと思うくらい、みんな同じことを言う」とムンチとColaboの交流で、日韓の当事者たちで共感しあったことがある。客が良く言う「エッチが好きなんでしょ」というセリフに対して、正直に「お金のため」と答えれば、勃起していた性器がしおれて客と店の怒りを買うことになる。そのため、女性たちは笑顔で、あたかもこの時間を楽しんでいるかのように演じることも強要される。それなのに、「なぜこんな仕事しているのか」と説教する客も多い。そのくせその客は、自分も女性に性処理をさせる。とことん性売買女性を見下しているのだ。

韓国では、2000年と2002年に性売買女性たちが業者に閉じ込められていたビルで火災が起き、女性たちが亡くなったことから、これ以上このようなことを繰り返したくないと女性運動が起こり、2004年に性売買防止法が制定された。2006年からは、性売買経験女性が当事者たちでネットワークを作り、反性売買運動を展開している。日本でも、2001年に歌舞伎町のビル火災で性売買女性が亡くなったが、韓国のような運動は起きなかった。それは、女性が抑圧され、性売買が当然のものとして容認され続けてきた日本社会の姿だろう。

この本を読んでいるあなたも、買春を容認し、性売買を発展させつづけ、いつでもどこでも男性が女性を選び、買うことができ、自分の欲望のために好き勝手扱うことができる社会をつくってきた一人であることに間違いないのだ。しかしそれは、あなたがこれから

Coloboのシェルターの様子。虐待や性搾取の被害に遭うなどした10代の少女たちが中長期的に暮らせる場所として運営している〈提供:Colabo〉

この現状を変えることのできる一人であることも意味する。

性売買の現場の実態を表に出すことが容易ではないのは、あまりにも強い支配構造の中で女性たちが抑圧されているからであり、日本でも声をあげようとする当事者に対する権力者たちからの攻撃はすさまじいものがある。それでも、韓国の活動家や当事者たちの活動に励まされ、日本でも「性売買経験当事者ネットワーク灯火(とうか)」が立ち上がろうとしている。同時に、Ｃｏｌａｂｏでは、性売買から抜け出したい女性が相談できる「女性人権センターＫＥＹ」を立ち上げるため準備を進めている。

性売買を構造的に批判することと、性売買女性の権利擁護を主張することは両立する。日本でも、性売買は女性に対する性暴力であり、性搾取であることを前提に議論と行動を始めなければならない。

監訳者あとがき

金富子

著者のシンパク・ジニョンさんは、2002年から20年近くの間、ソウル、釜山につづく韓国第3の大都市である大邱広域市の性売買集結地チャガルマダンの現場に立って、「性売買防止法」の制定と改正に取り組み、性売買斡旋業者や買春者、警察と対峙しつつ、性売買女性の支援を担ってきたフェミニスト・アクティビストである。

この間、大邱女性人権センター性売買被害相談所所長、性売買被害女性シェルター院長および同団体の代表をつとめてきた。また、全国組織である「性売買問題解決のための全国連帯」(以下、「全国連帯」)の代表を歴任し、現在は同団体の政策チーム長として性売買根絶のための研究や現場支援活動を続けている。2016年に「性売買集結地の場所性に対するフェミニズム的研究」によって修士学位を得た一面ももつ。

そもそもシンパクさんは、1990年代に大邱女性会で女性運動を始めてから、民主言論市民運動、フェミニズム性教育や戸主制廃止運動(2005年に廃止実現)に取り組んできた。その意味でシンパクさんは、韓国の民主化と女性運動を背景にしながら2000年代に性売買問題に取り組むようになった韓国フェミニズムの流れを体現する人物といえよう。

■性売買防止法の画期性と限界――「北欧モデル」の部分的採用

こうした現場活動が可能になったのは、盧武鉉政権時に制定された新法「性売買防止法」(2004年)によるところが大きい。ここでいう「性売買」とは、1990年代後半にフェミニストたちがそれまでの「淪落」「売春」などの用語を再検討して造った用語だ。つまり、道徳的堕落を意味して女性に使われてきた「淪落」、日本由来で売る側の女性だけを問題にする「売春」にはジェンダーバイアスがあり、性産業における買春者と斡旋業者の取引の側面を浮上させるために「性売買」という新語が造られ、ついには法律用語になったのだ。

同法は、①「性売買斡旋等行為の処罰に関する法律」(処罰法)、②「性売買防止および被害者保護等に関する法律」(保護法)の2つから成り立つ。そもそも同法の出発点となったのは、群山市の性売買女性火災死亡事件(2000・02年、本書第2章)をきっかけに立ち上がった反性売買女性運動による新法制定運動だった。女性運動はこの新法に「北欧モデル」(すべての性売買女性を非犯罪化し買春者を処罰する法制度)を組み入れるよう後押ししたのだが、国会審議の過程で「処罰法」が女性も含めた性売買関連者すべてを処罰する禁止主義に換骨奪胎されてしまった。そのため、「処罰法」で「性売買被害者」に限定して処罰を猶予することとし、反面「保護法」では自発と強制を区別せず性売買女性を支援する内容で成立することになった。

この二つの法のうち、①は法務省が担当し、性売買をする者や性売買「斡旋、勧誘、誘引」者などを処罰するだけでなく、建物・土地の所有者、金融業者、観光業者も対象となる。②は女性家族省が担当し、国家が性売買女性たちの「保護、被害回復および自立・自活を支援」することを可能にした。3年ごとに性売買実態調査(買春者含む)が実施されることになった。また性売買予防教育が小・中・高校を含む国家機関等で義務化された点も注目される。この教育は年一回ほど実施され、「全国連帯」に属する団体などがゲスト講師になったり、コンテンツの共同開発や体系的な講師の養成も行われているという。

旧法である「淪落行為等防止法」(朴正熙政権時の1961年制定)では、売る側の女性に「淪落」という道徳的なレッテルを貼り処罰は当然とされたのに、買春者・斡旋業者への処罰はほぼ不問とされた。これに対し新法は、「性売買」という用語を採用し、買春者・斡旋業者への処罰を強化するとともに、「女性の人権」から性売買にアプローチすることで、旧法のような女性個人の問題ではなく、脆弱な女性をうむジェンダー不平等な社会構造(女性の貧困や社会的地位の低さなど)を背景に起こされた問題ととらえ、脱性売買を望む女性への国家的な支援政策が始まった。ただし性売買女性を行為者/被害者の二つにわけ、前者を処罰する点は同法の限界・欠陥であるため、現在まで女性運動は「すべての性売買女性の非犯罪化」を求める改正運動を行なっている。

北欧モデルの画期的な意義は、性売買を女性への暴力ととらえ処罰対象が買春者に向かい性売買女性への処罰は全面解除されたこと(新廃止主義)にあるが、韓国の新法では買春者は処罰されるが性売買女性への処罰を全面解除できなかった点から旧法的というそしりを免れない。それでも世界を見渡せば、1999年にスウェーデンから始まった北欧モデルがノルウェー(2009年)、アイスランド(2010年)、カナダ(2014年)、北アイルランド(2015年)、フランス(2016年)、アイルランド共和国(2017年)、イスラエル(2018年)に次々と導入されたなか、韓国がアジアで初めて、しかもかなり早く、部分的とはいえ北欧モデルを新法に組み入れた点は画期的だと言っていいだろう(日本の売春防止法には買春者処罰の条項はない)。

しかしながら同法の制定後、韓国で買春がなくなったわけではもちろんない。いまだに性売買市場の規模は巨大だし、買春を維持・擁護しようとする斡旋カルテル、買春者、公権力など男どうしの絆が社会の隅々に根をはっていることは本書に詳しい。それでも性売買業者から借金を理由に詐欺で訴えられた性売買女性が逆に業者を告訴できるようになり（第3章Aさんの例など）、斡旋業者と公権力の癒着・不正・逮捕が表沙汰になり、性売買で莫大な利益を得るのは女性ではなく斡旋業者たちだという認識が広まった点は大きな前進だ。また、「性売買を違法」と認識する韓国市民は93％にのぼり（前述の16年「性売買実態調査」）、「男性が買春した事実が判明すれば社会生活に支障がある」と回答した男性は70％以上、女性は80％になり、「買春への処罰強化」に男性45％（「現状は適切」35％）、女性75％が賛同したという（15年「大邱市民意識調査」、以上シンパクさんより）。韓国社会が買春（男性）に対し厳しい視線を向けるようになったのだ。

ともあれ同法の最大の成果は、女性運動が性売買女性たちの信頼をかちとり、各地で脱性売買を果たした女性たちが自発的に集まって２００６年に「性売買経験当事者ネットワーク・ムンチ」を結成し、活動家と当事者がいっしょに反性売買女性人権運動を展開するようになったことだ（以上の経緯は、「全国連帯」代表のチョン・ミレ／イ・ハヨン著、金富子翻訳・解題「韓国における性売買の政治化と反性売買女性人権運動」東京外国語大学海外事情研究所『Ｑｕａｄｒａｎｔｅ』№21、２０１９年もあわせて読んでほしい）。本書もその結実である。

ここでエピソードを一つ紹介したい。私たちはシンパクさんたち活動家と当事者たちが信頼しあう関係を何度も目にしたが、昨年開かれた日韓の活動家オンライン・ミーティングの時だった。性売買当事者からの相談でトラブルになった時はどうするかと問われたシンパクさんが、その当事者に対し「相談を受けることがいかに大事か。私も弱いし、あなたも弱い。だからあなたと出会った。私たちがすべて解決できるわけではない。けれども、ともに悩むと伝える」と語ったのだ。その姿に、私当事者を「支援の対象」ではなく「ともに悩み、ともに歩む同志」として関係を築いてきた活動の真髄をみた思いだった。本書の日本語版タイトルには、原題『性売買、常識のブラックホール』を活かしつつ、こうしたシンパクさんたちの活動が性売買の現場から当事者女性とともに「性搾取構造としてのブラックホール」を打ち破ろうとしているという意味をこめてつけた。

■韓国各地の反性売買女性人権運動

2000年代初め頃、数名のアウトリーチから始まった各地の活動は、多くの場合、性売買被害相談所、シェルター、自立支援センターをもち、性売買女性のための総合的な自活支援システムを制度化していった(6章)。有給スタッフであり、若い世代の活動家も多い。ただし政府からの独立性は維持している。これらによって、性売買女性たちの要請をうけ現場でおこるさまざまな事件に対処するための緊急救助を行うほか、通常業務として相談所ではカウンセリングによって法的支援・医療支援を行い、すぐに住むところがない女性にはシェルターやグループホームを用意し、自立支援センターでは転業のための訓練(資格取得など)に向けた多種多様なプログラムを行っている。女性たちがつくったアクセサリー、石鹸、雑貨などを売るショップも併設している。

私たちが2017年から19年にかけて韓国各地の支援団体を訪問して説明を聞いたなかで、印象に残った話をあげよう。法的支援は膨らむ前払金問題への対応が多い。医療支援はその8割がメンタル支援だという。不安による不眠症や薬物依存が多いからだ。性売買の時に苦しくて歯をくいしばったり、不規則な生活のため、歯科医の治療も欠かせない。自活支援センターでは、まず女性との信頼を築くことから始まる。性売買経験によるトラウマへの理解を持って、女性たちが自尊心を回復し自ら変化していく力を持っていることを信じることが最も重要だという。中断された学業を再スタートしたり就職の準備をするのは、その次のステップだというのだ。

最初は他人と視線を合わせることさえ難しい女性も多いということから、性売買経験がどれほど大きなトラウマとなって残るのかがうかがえる。

2021年現在、性売買被害相談所は30カ所ある。全国連帯に所属する相談所は11カ所だ（すべて女性人権運動団体が運営）。地方自治体による直接運営は1カ所、その委託運営が1カ所、YWCAの運営が2カ所、その他の15カ所はすべて民間団体の運営だ（全国連帯所属ではない女性人権運動団体による運営含む）。その他、性売買被害女性支援機関としてシェルターが24カ所、青少年シェルターが15カ所、外国人支援施設が1カ所、グループホームが12カ所、自活支援センターが12カ所、オルタナティブ教育委託機関1カ所などがある（以上シンパクさんより）。釜山の「サルリム」では、性売買経験のない男性たちが自らのセクシュアリティや男性文化などを話し合う「性売買需要者フォーラム」を開いたり（『性売買をしない男たち』を出版した）、捕まった買春男性への再犯防止教育（ジョン・スクールという）の講師もしているという。また各地域では毎年、問題解決に向けて討論会や文化祭を開くなど地域住民との意思疎通を行なってきた。

こうした地道で力強い活動は、市政にも影響をおよぼした。大邱や全州を訪れたとき、市政の後押しを得て、性売買集結地の閉鎖に向けて、性売買店の空き店舗が買い取られアートなスペースに再創造されていた。大邱では、3階建ての元性売買店の3階に実際に使われた女性たちの部屋が保存され、八重垣町遊廓に始まるチャガルマダンの性売買の歴史が示され、1・2階にはアーティストたちが集結地を表現した作品群が展示されていた。この場所で確かに生きてきた女性たちの存在を忘れないためのメモリアルな空間がつくられていたのだ。その後2019年末に、大邱のチャガルマダンは閉鎖されたという。しかし日本でありがちな浄化運動とちがうのは、市の政策として「性売買被害者等の自活支援条例」（２０１６年制定）を策定したこと、これによってチャガルマダンにいた性売買被害者と確認された女性たちが脱性売買と自活支援を希望し申請する場合は生活費・住居費・職業訓練費が支給・支援されるようになったこと、この条例に基づきシンパクさんが代表をつとめる大邱女性人権センターが女性たちの声を聞きつつ、ほぼ１００人に達する女性に対する自活支援事業を進めたことだ（『チャガルマダン閉鎖および自活支援事業白書』２０２０年より）。

全州では、大邱に続いて「女性自活支援条例」をつくり、脱性売買女性への自立支援はもちろん、性売買集結地ソンミ村の性売買店を買収して「女性の人権とアートの街」（ソンミ村の歴史展示などをする「性平等プラットホーム」含む）として生まれ変わらせる文化再生事業を推進していた。実際にソンミ村の入り口に記憶の空間として公園がつくられ、その歩道にメモリアルな文字（「女性の権利は人権」「女性の平和な笑顔が満ちた場所」等）が埋め込まれ、公園ではコンサートも開かれていた。性売買の現場を忘却するのではなく、その記憶を伝え女性の人権を考える空間に再生しようとしたのだ。大邱や全州の試みは、地域に根をはって性売買女性支援を続けてきた女性運動のたまものと言えよう。

こうした運動のやり方は日本の運動の現状と未来に対して示唆するところが大きい。

■韓国のルーツ／最新モデルとしての日本の性売買

本書の読みどころは、日本が韓国の性売買に大きな影響を与えたことを随所で活写していることだ（とくに２章、６章）。前近代の朝鮮に公娼制はなかったのであり、近代朝鮮に公娼制を持ち込んだのは帝国日本だった。朝鮮開港（１８７６年）以降の朝鮮侵略のなかで、釜山・元山などの日本人居留地に近代化された日本式性売買システム（貸座敷・娼妓制度＝公娼制度）がもちこまれ、日清・日露戦争と日本軍常駐化をきっかけに発展し、「韓国併合」（１９１０年）後の植民地時代に名実とも日本「内地」と同じ「娼妓」「貸座敷」という名称を使いつつ「内地」より劣悪な内実をもつ植民地公娼制（植民地遊廓）へと再編・普及していった。買春客の多数は植民地朝鮮に移民した日本人男性だった（金富子・金栄『植民地遊廓』吉川弘文館、2018年、参照）。

こうして植民地期に性売買に携わる朝鮮人業者・女性が産み出されるとともに、朝鮮社会の性慣行の「日本化」が促された。その影響は日本敗戦＝植民地解放後の韓国におよんだ。ソウル、釜山、大邱や全州などの主要都市にある性売買集結地のルーツは植民地遊廓にさかのぼるし、現代韓国の性売買でも使われる「抱主」「マエキン」「ヒッパリ」「ナカイ」などの隠語も同様だ。本書には、21世紀の韓国で性売買集結地の性売買店の部屋に暮らしつつ膨れ上がる「前払金」に縛られて脱出できない性売買女性たちの話が出てくる。その姿は、戦前日本や植民地朝鮮の公娼制下で「前借金」に縛られ廃業が難しかった娼妓たちの姿を彷彿とさせる。

先述した旧法の「淪落行為等防止法」にも、戦後日本の痕跡がみてとれる。日本の「売春防止法」（1958年施行）の劣化コピーと言っていい内容なのだ。1970年代からは日本人男性たちが集団でキーセン買春観光に行って国際問題になったし、1980年代以降に使われはじめた「売春」や「援助交際」という用語も日本由来だ（現在はそれぞれ性売買、青少年グルーミング性売買に置き換えられた）。韓国から日本に送り込まれる性売買女性も少なくないし、日本最新の性売買ビジネスも韓国に直輸入されている。このように、韓国の性売買は日本に住む私たちとも深く関係している。

とはいえ、韓国の性売買のあり方は日本とまったく同じではない。たとえば、日本と違って、韓国ではアダルトビデオ（AV）は違法だ。しかし韓国の男性たちは10代から当たり前のように日本製AVをネットで視聴して、日本の性文化や女性像に染まっていく。わたしが韓国の大学に勤務した2000年代後半に、日本製AVに出てくるような性行為を好む女性像を日本人女性の実像と勘違いした学生がかなりいて驚いたことがある。

また、本文に頻出する遊興酒店はルームサロン、テンパー、フルサロンなどだが、個室で女性従業員が接待と遊興を行い、客が望めば「二次」と称して別な場所などで性売買が行われる兼業型性売買なので、日本のキャバクラ等と必ずしも同じではない。つまり、韓国の性売買には、専業型（伝統型）として性売買集結地、兼業型（接待や舞踊含む）としてルームサロン・スタンドバー・料亭・ナイトクラブなど、日常型としてタバン（茶房）・宿泊施設・マッサージ・大衆浴場・理髪店などがあり、こうした施設や業態のなかで性売買やその類似行為が行われている。ほかにも派遣型（デリバリー）やオフィステル（OP＝ワンルーム・マンション）性売買など多種多様である。こうした業態や用語は日本と異同があるため、巻末の「用語辞典」はその理解に役に立つ。

一方、日韓で共通するのは、性売買への入り口になる女性の社会的経済的地位の低さだ。ジェンダーギャップ指数（2021年）をみると、韓国は156カ国中102位、日本は120位ときわめて低い。またOECDによれば、女性賃金（フルタイム）が男性賃金（同）に比して何パーセント低いかを示すジェンダー賃金格差（2020年）は、韓国は34％でOECDのなかでワースト1位、日本は24％でワースト2位なのだ。女性に多い非正規労働では賃金格差はさらに広がる。待遇や労働環境も女性に厳しい。性売買の法制度に北欧モデルを全面的に組み入れつつ、それだけに留まらず、困窮女性を生み出す社会構造を変革してジェンダー平等を実現することこそ、回り道にみえて根本的な性売買防止策だということを、本書、そして韓国の反性売買女性人権運動は示唆している。

本書が、多くの日本の読者にはもちろん、性売買のなかにいる／いた女性たちに届くことを願ってやまない。Ｃｏｌａｂｏやぱっぷすをはじめ性売買問題に取り組む団体やこころざす人々の一助になれば、こんなに嬉しいことはない。なお、著者から原書にない写真を提供していただいた(一部写真は監訳者)。理解の助けになれば幸いである。

本書の翻訳は萩原恵美さん(「日本語版に寄せて」、序章・第1~3章、「用語辞典」)、大畑正姫さん(第4~6章、「おわりに」)が分担し、全体の監訳はわたしが行なった。訳注は三人で担った。お二人の丁寧な仕事ぶりに感銘をうけた。もちろん最終的な翻訳・訳注の責任は監訳者が負っている。Colabo代表理事の仁藤夢乃さんには、韓国以上に巧妙な日本の性売買の実情に関して解説を寄せていただいた。シンパクさんと同じく、現場に立つ仁藤さんだからこそ書ける貴重なものだ。萩原さん、大畑さん、仁藤さんのご苦労に深く感謝したい。

いっしょに本書の翻訳・出版を企画した小野沢あかねは、専門的視点から翻訳原稿の校閲を担うとともに、日本の読者に向けて解説を書いた。本書は、科学研究費補助金基盤研究(B)「性販売女性の支援活動に関する日韓比較同時代史研究」(19H04389、代表:小野沢あかね)の成果の一環である。何よりも、本書の翻訳を快諾して下さっただけでなく、アドバイスや写真提供を惜しまなかったシンパクさんに感謝の気持ちでいっぱいである。そして大邱、釜山、ソウル、全州の性売買集結地を案内して下さり、それぞれの活動と現状を熱心に説明してくれた反性売買女性人権運動の皆さん、ムンチの皆さんの友情に心から感謝するとともに、本書を捧げます。

最後に、厳しい出版事情のなか、この本の出版を引き受けて誠実に対応してくれた、ころからの木瀬貴吉さん、安藤順さんに感謝申し上げます。

2022年3月8日
監訳者として　金　富子

シンパク・ジニョン　신박진영

1965年生まれ。韓国「性売買問題解決のための全国連帯」前代表（現政策チーム長）。1990年代から出身地・大邱広域市での女性運動やフェミニズム理論による性教育の普及、また戸主制の廃止運動を行う。2002年から「性売買防止法」制定運動に携わり、同時に性売買からの脱却を望む女性の支援活動を展開。2006年女性学大学院を修了。本書は初の単著。

金富子　きむ・ぷじゃ

東京外国語大学大学院総合国際学研究院教授。おもな著書に『植民地期朝鮮の教育とジェンダー』（世織書房）など。

小野沢あかね　おのざわ・あかね

立教大学文学部史学科教授。おもな著書に『近代日本社会と公娼制度』（吉川弘文館）など。

仁藤夢乃　にとう・ゆめの

一般社団法人Colabo代表理事。おもな著書に『難民高校生』（筑摩書房）など。

大原正姫　おおはら・まさき

韓国語翻訳・通訳者。

萩原恵美　はぎわら・めぐみ

韓国語翻訳者。

［シリーズ］いきする本だな

性売買のブラックホール

韓国の現場から当事者女性とともに打ち破る

2022年5月25日　初版発行

2200円＋税

著者　シンパク・ジニョン

監訳　金富子

翻訳　大畑正姫、萩原恵美

解説　小野沢あかね、仁藤夢乃

パブリッシャー　木瀬貴吉

装丁　安藤順

版権コーディネート　ナムアレ・エージェンシー

発行　ころから

〒115-0045
東京都北区赤羽1-19-7-603
Tel 03-5939-7950
Mail office@korocolor.com
Web-site http://korocolor.com
Web-shop https://colobooks.com

ISBN 978-4-907239-62-6
C0036
mrmt

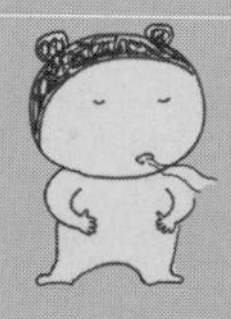

いきする本だな

まーくのえともじ●金井真紀

I can't breathe. ── 息ができない ── との言葉を遺し二人の米国人が亡くなりました。2014年のエリック・ガーナーさん、そして2020年のジョージ・フロイドさんです。

白昼堂々と警官に首根っこを抑えつけられ殺された事件は、米国社会に大きな衝撃を与え、抗議する人々が街頭へ出て「ブラック・ライブズ・マター（黒人の命をなめるな！）」と声をあげることになりました。

このムーブメントは大きなうねりとなり、世界中で黒人たちに連帯するとともに、それぞれの国や地域における構造的な差別と暴力の存在を見つめ直す機会となったのです。

さて、いま21世紀の日本社会に暮らすわたしたちは、どんな息ができているでしょうか。

誰に気兼ねすることなく、両手を広げ大きく息を吸って、思う存分に息を吐くことができているでしょうか？

これは、ただの比喩ではなく、ガーナーさんやフロイドさんと同じように物理的に息を止められていないと言い切れる社会でしょうか？

私たち、ころからは「ブラック・ライブズ・マター」のかけ声に賛同し、出版を通じて、息を吸うこと、吐くことを続けようと決意しました。

これらの本が集うシリーズ名は「いきする本だな」です。息することは、生きること。そんな誰にとっても不可欠な本を紹介していきます。

息するように無意識なことを、ときには深呼吸するように意識的なことを伝えるために。

2021年　ころから